D1220884

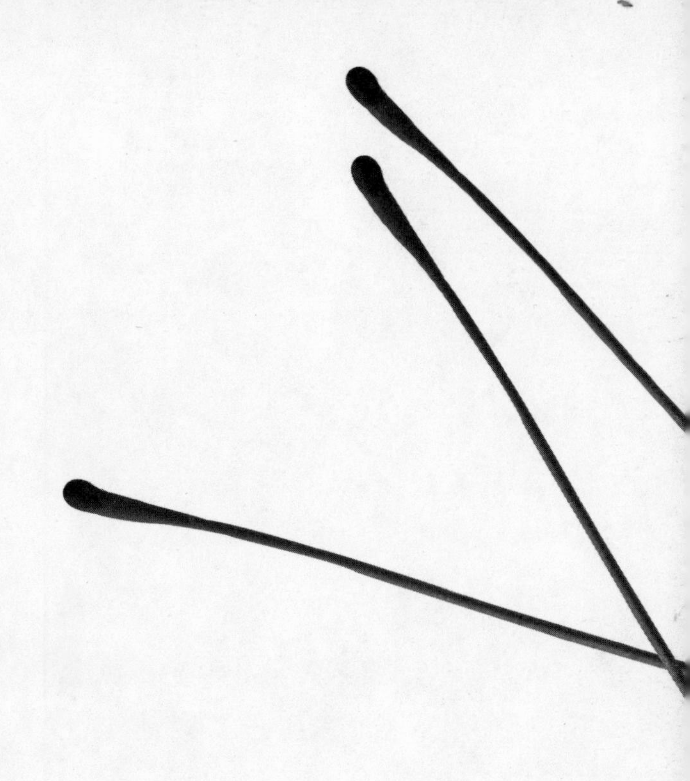

REFLEXIONES PARA VIVIR MEJOR

WALTER RISO

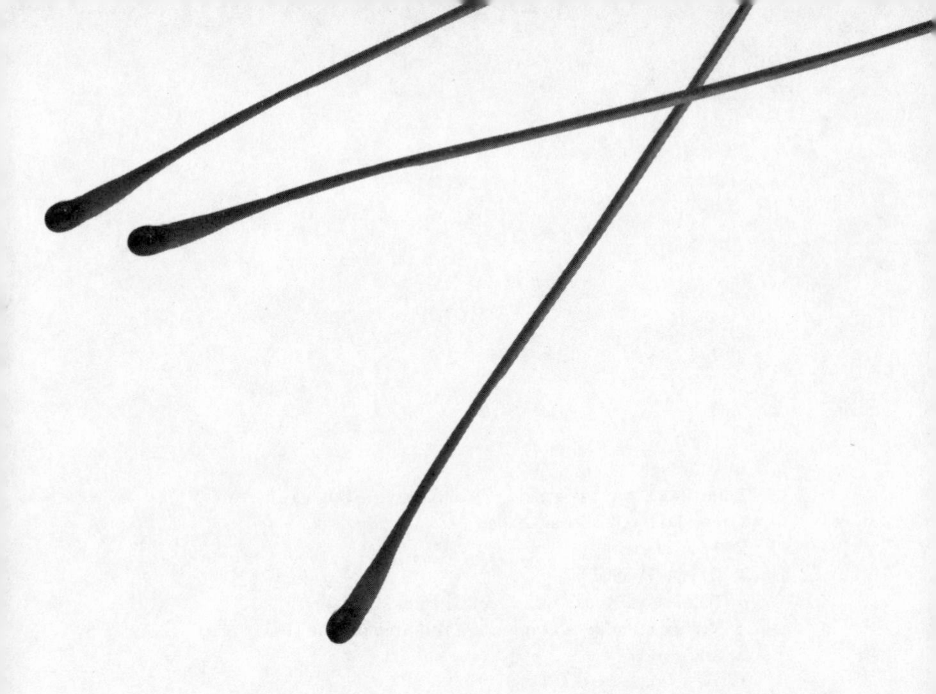

REFLEXIONES PARA VIVIR MEJOR

WALTER RISO

Bogotá, Barcelona, Buenos Aires, Caracas,
Guatemala,Lima, México, Panamá, Quito, San José,
San Juan, Santiago de Chile, Santo Domingo

Riso, Walter
Reflexiones para vivir mejor / Walter Riso. -- Bogotá :
Grupo Editorial Norma, 2005.
208 p. ; 21 cm.
ISBN 958-04-8902-5
1. Técnicas de autoayuda 2. Autoestima
3. Modificación de la conducta 4. Autorrealización (Psicología)
5. Autoayuda
Citas, máximas, etc. I. Tít.
158.1 cd 19 ed.
AJE6219
CEP-Banco de la República-Biblioteca Luis Ángel Arango

Apartado Aéreo 53550, Bogotá, Colombia
http:/www.norma.com

Impreso por: D'vinni Ltda
Impreso en Colombia — Printed in Colombia

ISBN 958-04-8902-5

CONTENIDO

PRÓLOGO

DESDE QUE ERA MUY JOVENCITA sentía cierta fascinación por las citas de los grandes pensadores. Cada vez que leía un libro me sorprendía a mí misma subrayando aquellas frases que despertaban una emoción especial en mí; bien fuera porque abrían mi conciencia hacia un conocimiento mayor, porque me transmitían un mensaje hermoso o porque, simplemente, me hacían reír.

Cuando me encontré con el primer libro de Walter Riso no sabía que leerlo, me cambiaría la vida. Sin proponérmelo, interrumpí la lectura muchas veces para marcar todas las frases que me gustaban. Y fue tanto lo que me gustaron algunas de sus citas que las tomé prestadas para utilizarlas como epígrafe de algunos de los ensayos periodísticos que escribía en aquellos días. Otras las copiaba y se las regalaba a mis amistades. En ese tiempo tampoco sabía que algún día conocería al doctor Riso, ni que tendría el privilegio de trabajar junto a él. Y, lo que menos esperaba, es que Dios me daría la oportunidad de dar a conocer su obra, aunque sólo fuera, como creía entonces, en mi pequeña isla de Puerto Rico. Desde que comencé a desmenuzar sus libros he conocido a muchas personas que, como yo, también aprendieron a través de sus páginas que vale la pena vivir y lo que es mejor: que con su ayuda podemos aprender a hacerlo, no con fórmulas mágicas, sino con una visión inteligente.

Tal vez esto fue lo que despertó la idea de reunir las mejores citas de Walter Riso en un solo libro. O tal vez fuera el hecho de descubrir que la grandeza de su obra está en lograr transmitir de un modo muy simple conceptos que, a veces, resultan muy difíciles de comprender. Lo cierto es que sus mensajes nos transportan a la esencia de vivir de una manera sencilla, clara y muy honesta.

Así, la idea de hacer este libro nació de la profunda convicción de que Walter Riso es un gran maestro del vivir. De ese vivir que todos necesitamos, que implica escoger la alegría en vez de la tristeza, que requiere elegir el perdón en vez del rencor, que lucha por la

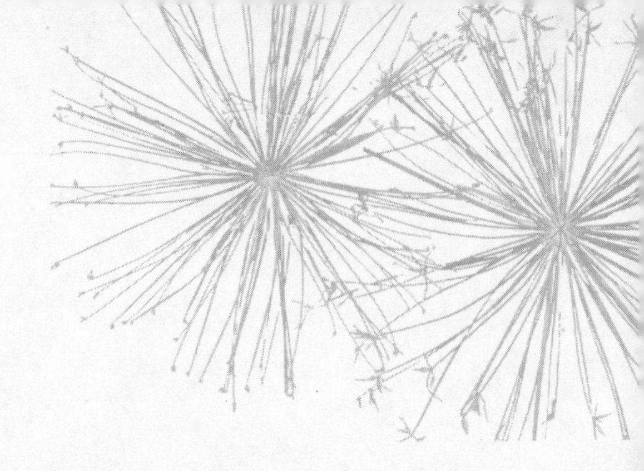

dignidad frente a la sumisión; de ese vivir que nos enseña que no nacimos para sufrir sino para amar.

Reflexiones para vivir mejor, recopila las enseñanzas de los libros de Walter Riso. Fue creado, precisamente, para enseñarnos a vivir. En esta obra hacemos un recorrido por las temáticas principales que aborda en sus libros, o los que podríamos llamar sus preceptos del vivir.

A través de sus citas conoceremos el amor y el desamor, aprenderemos la importancia de la valoración personal, de la autoestima y de la dignidad. Nos desprenderemos de la dependencia afectiva; descubriremos que tenemos la capacidad de hacerle frente a las emociones destructivas, que podemos ser flexibles a los cambios, que vale la pena aprender a perder. Entenderemos cómo se puede vivir en balance y equilibrio.

A lo largo de estas páginas abriremos nuestra mente y nuestro corazón a la libertad que nos producen el hedonismo, el placer y la alegría. Descubriremos que hay una gran diferencia entre tener y ser. De su mano, conoceremos el verdadero significado de la amistad, de la fidelidad, del respeto, de la ética y de la honestidad. En fin, guiados por su voz viajaremos por el camino de la sabiduría hasta llegar al terreno fértil de la trascendencia. Como esos grandes pensadores a los que cita con frecuencia a lo largo de sus obras, Walter Riso nos regala sus *Reflexiones para vivir mejor.*

GIZELLE F. BORRERO
10 de agosto de 2005

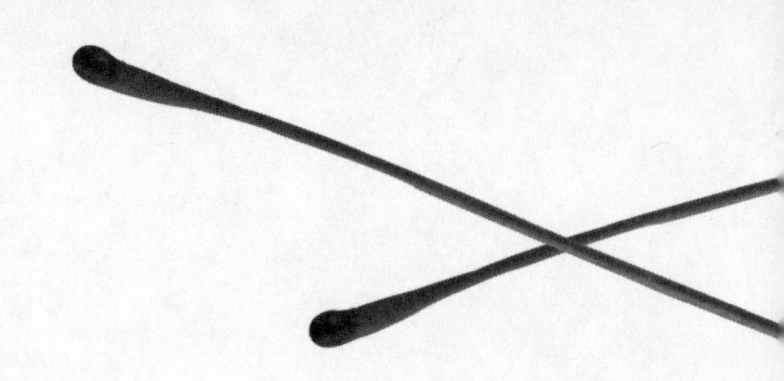

INTRODUCCIÓN

El filósofo Alain decía: "El pensamiento no debe tener otra morada que el universo entero; solo allí es libre y verdadero. ¡Fuera de sí mismo! ¡En el afuera!". Pensar la vida, es pensar lo real. Es ubicar la mente junto a la razón práctica, en lo que hacemos, sentimos y pensamos. Reflexionar sobre lo que somos, sobre el amor, la dignidad, la amistad, el crecimiento, las emociones, el placer, pensarnos en relación a otros, el mundo y el futuro. Buscar la coherencia básica.

No hablo de aislarnos en alguna cueva tibetana y meditar en estado puro hasta desaparecer; me refiero a pensarnos en la acción, en el tire y afloje del día a día, en las crisis, en el estrés casi inevitable que surge de una exigencia social cada vez más irracional. Y también, en la belleza de un amanecer limpio, en la alegría de un amor que no duda de sí mismo o en el encuentro inesperado con el gran amigo, que tanto nos emociona.

Ir más allá de lo evidente y raspar la esencia, requiere de una profunda meditación. Se trata de fluir con el todo que nos contiene y comprender a la vez el papel que jugamos o queremos jugar. No sólo los "por qué" (a veces tan difíciles de alcanzar o tan poco útiles), sino también los "qué" (más afectivos) y los "cómo" (más comportamentales). En ocasiones sólo se trata de quedar impávidos y mirar por mirar, observar sin ser observados, como afirmaba Krishnamurti. Ver lo que es, el asombro, la atención despierta. Estar totalmente en el presente, sin excusas ni aspavientos, de corazón abierto.

Un libro siempre es un pretexto para llevar el pensamiento lo más lejos posible. Salirse de los esquemas acostumbrados y ensayar otros tiempos, habitar nuevos lugares, sean comunes o no. Asimismo, es construir una nueva mirada sobre la existencia que nos ocupa. Somos vida que se observa a sí misma, que no se resigna a subsistir, y por eso, con vivir no basta, hay que vivir lo mejor posible. No me refiero a la vida buena, sino a la *buena vida* que pregona la sabiduría de los antiguos. La felicidad, si es que existe, es el

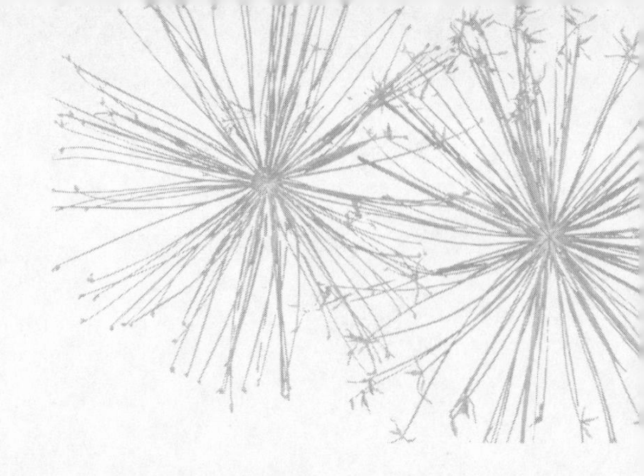

placer con el alma tranquila. Coquetearle a la virtud sin pretensiones de santidad, sin ambiciones destructivas. Reflexiones para vivir mejor, o al menos intentarlo, lejos de la ansiedad y más cerca del amor inteligente. Vivir en paz, entre lo racional y lo razonable, esperando desear, tal como aconsejaba Epicúreo, solamente aquello que es natural y necesario: el bienestar y la salud mental.

WALTER RISO

AMOR
Y DESAMOR

Si alguien te dice que "te quiere" pero que no sabe si "te ama", es que no te ama lo suficiente, así que no pierdas el tiempo.

AMA Y NO SUFRAS

Aunque nos neguemos a amar, el amor se va acumulando en el ventrículo izquierdo del corazón (ése es el lugar donde se almacena cuando no lo queremos utilizar). Podemos reprimirlo, esconderlo, pero no eliminarlo. Ese potencial no desaparece, está ahí listo a desarrollarse. Cuando lo guardamos mucho tiempo sin procesarlo, sublimarlo o transferirlo se sale de su cauce, se desborda, y cuando esto ocurre no tenemos más remedio que entregárselo al primero que pase.

AMOR, DIVINA LOCURA

El privilegio de ser incluido de manera total y única en el amor interpersonal siempre es una conclusión de dos.

DESHOJANDO MARGARITAS

Cuando una persona está enamorada lo sabe, lo siente, lo vive en cada pulsación, porque el organismo se encarga de avisarle. El amor llega como un huracán que rompe todo a su paso.

AMAR O DEPENDER

No hay nada más hipersensible que el amor, nada más arrebatador, nada más vital. Renunciar a él es vivir menos o no vivir.

AMA Y NO SUFRAS

Cada amor arrastra su propio lastre que le impide volar. Si hay sobrepeso, ni siquiera permite el mínimo desplazamiento: el amor se vuelve inválido.

DESHOJANDO MARGARITAS

Amar sin apegos es amar sin miedos. Es asumir el derecho a explorar intensamente el mundo, a hacerse cargo de uno mismo y a buscar un sentido de vida. Es hacer las paces con Dios y con la incertidumbre. Es tirar la certeza a la basura y dejar que el universo se haga cargo de uno. Es aprender a renunciar.

AMAR O DEPENDER

De caricia en caricia, el amor nos va llevando más allá de los defectos.

La fidelidad es mucho más que amor

Un amor completo, sano y gratificante, que nos acerque más a la tranquilidad que al sufrimiento, requiere de la unión ponderada de tres factores: deseo (*eros*), amistad (*philia*) y ternura (*ágape*). La triple condición del amor que se renueva a sí misma, una y otra vez, de manera inevitable.

Ama y no sufras

Nadie tiene el deber de amar a otro. Si no, sería una obligación. Ofenderse ante el rechazo es negarle el derecho fundamental a la otra parte a decidir sobre su vida afectiva: "Estoy ofendido porque no me amas". Ridículo.

Deshojando margaritas

A más amor menos defensa. La lealtad florece por sí sola si la tierra está abonada.

La fidelidad es mucho más que amor

Cuando *eros* está enardecido, las diferencias de género desaparecen: no somos de Marte ni de Venus, sino terráqueos apasionados, descompuestos de amor, colmados de deseo.

Ama y no sufras

El amor es lo que somos. Si eres irresponsable, tu relación afectiva será irresponsable. Si eres deshonesto, te unirás a otras personas con mentiras. Si eres inseguro, tu vínculo afectivo será ansioso. Pero si eres libre y mentalmente sano, tu vida afectiva será plena, saludable y trascendente.

Amar o depender

Eros es posesivo, dominante, concupiscente y, aun así, imprescindible. Un amor orientado principalmente a la autogratificación, pero a través del otro, porque la excitación ajena excita.

Ama y no sufras

Al hacer contacto con el amor real descubriríamos un sentimiento vivo que podría manifestarse en todas partes y bajo cualquier circunstancia: en un bus, con aguaceros, en la oficina, y hasta con dolor de muelas.

DESHOJANDO MARGARITAS

Si alguien me dijera: "Te amaré toda la vida", antes de ponerme contento, preguntaría: "¿De qué amor me hablas?", y luego agregaría: "Si te refieres al "amor como estado", es decir, al amor pasional de *eros*, pensaría que estás comprometiéndote con algo que no vas a poder cumplir, que me estás tomando el pelo o simplemente que tienes una idea distorsionada o sobrevalorada del amor: demasiado optimismo para mi gusto. Pero, si a lo que aludes es al "amor en acto", es decir, al amor trabajado, construido y ejecutado en el día a día (*philia*), podría llegar a creerte, porque el cumplimiento de la promesa dependería de ti, de tu voluntad y no de un sentimiento. ¿Podrías entonces aclararme a qué amor te refieres?".

AMA Y NO SUFRAS

Cuando el desamor ocurre, me refiero al que sale del alma y los huesos, no hay reversa. A veces, inexplicablemente y sin previo aviso, el desamor sobreviene con tanta o más fuerza que el amor. Sin odios, resentimientos o rencores, el amor por el otro se esfuma. Y cuando buscamos entre las cenizas, nada, ni siquiera un tris.

DESHOJANDO MARGARITAS

Los miembros de una buena pareja tienen la certeza de que el otro nunca les hará daño intencionalmente.

AMA Y NO SUFRAS

No creo que el amor cure nada, las que curan son las personas cuando son dulces y comprensivas.

AMA Y NO SUFRAS

En la manifestación del amor se refleja la fibra íntima del ser humano, sin tapujos ni disimulos. La desnudez psicológica que exige cualquier relación afectiva bien intencionada, confronta y por eso, asusta.

APRENDIENDO A QUERERSE A SÍ MISMO

El *ágape* del amor de pareja, terrenal y realista, requiere de una condición básica para que se pueda realizar sana-mente: que la persona depositaria del *ágape* no se aproveche de nuestras debilidades.

AMA Y NO SUFRAS

No pueden obligarte a amar, ni tú puedes exigirlo. El amor llega cuando quiere y se va cuando quiere.

DESHOJANDO MARGARITAS

Definitivamente, es más fácil amar a Dios que a las personas, porque no tenemos que convivir con Dios, al menos, en un sentido humano.

AMA Y NO SUFRAS

Es fácil luchar por el poder, imponerse y competir, es fácil engordar el ego, sin embargo, es bastante más difícil entregar las armas pudiendo ganar la batalla, recogerse y apaciguar el instinto de supervivencia. ¿Por qué hacerlo? Por puro amor; porque sí.

AMA Y NO SUFRAS

El amor realista vuela bajito, pero vuela; está parado en la cotidianidad, disfruta lo bueno y afronta lo malo.

DESHOJANDO MARGARITAS

Ágape significa buen trato, miramiento, asistencia, esmero en el contacto físico. *Ágape* es el conjunto de caricias bien distribuidas.

AMA Y NO SUFRAS

El amor aliviana la carga de las exigencias o al menos las transforma y les confiere un sentido de responsabilidad indolora.

AMA Y NO SUFRAS

No se enseña a amar, se educa para amar. Es decir, existe una especie de aprestamiento afectivo, una serie de prerrequisitos iniciales que permiten, si el amor se da, vivenciarlo sin tantos obstáculos y maduramente.

DESHOJANDO MARGARITAS

No te haré nada que no quisiera que me hicieras. Daré un paso atrás, un paso amable, para luego avanzar sobre lo positivo. Después, ensayaré tus gustos, pero sólo cuando tenga claros tus disgustos. No puede crecer el amor si no se abona primero la tierra del buen trato. Es muy fácil saber cuáles son tus derechos, basta con mirar los míos.

AMA Y NO SUFRAS

El afecto se decanta con los años, recalca su esencia, subraya su naturaleza original: *eros* se calma y se transforma en erotismo, *philia* se profundiza y *ágape* toma la rienda.

AMA Y NO SUFRAS

El amor real fluctúa, decae, sube, se enrosca, crece y explota: nunca está quieto. El afecto interpersonal es móvil por naturaleza. Aunque no lo notemos, se desplaza, se escurre, es cambiante y testarudo.

LA FIDELIDAD ES MUCHO MÁS QUE AMOR

"Amar al prójimo como a nosotros mismos" nos permite entrelazar el amor a los otros con el amor propio. Amarte como me amo es aceptar que hay un "yo", es reconocerme como un ser legítimo que merece *ágape* y lo otorga.

AMA Y NO SUFRAS

El amor requiere de dos, pero sin dejar de ser uno.

AMA Y NO SUFRAS

El amor tiene la facultad de comunicarse sin más lenguaje que un abrazo, una caricia o un beso.

DESHOJANDO MARGARITAS

El amor inteligente es un menú que se activa según las necesidades: todo en su momento, a la medida y armoniosamente.

AMA Y NO SUFRAS

Parte de la satisfacción afectiva interpersonal se debe precisamente a nuestra habilidad de olvidar lo malo.

AMA Y NO SUFRAS

Cuando el amor toque a la puerta, entrará como una tromba: no podrás dejar fuera lo malo y recibir sólo lo bueno. Si piensas que amar es igual a felicidad, equivocaste el camino.

DESHOJANDO MARGARITAS

Eros nos lleva al abismo, nos confronta con nuestros orígenes y nos descubre en aquello que preferimos ocultar por pudor o miedo.

AMA Y NO SUFRAS

Independientemente del placer que nos proporciona o con el gusto que lo hagamos, el amor siempre arrebata, reclama y expropia algo importante de uno mismo. Hay que estar preparado para ello. Algunas veces lo devuelve con creces, otras no.

DESHOJANDO MARGARITAS

La admiración obra como un moderno y evolucionado sistema de atracción, que reemplaza los primitivos estímulos visuales por unos más sutiles y elegantes. Si la admiración nos lleva al "amor pasional", lo hace a través de un *bypass* que crea la cultura y exalta la mente.

AMA Y NO SUFRAS

Amar hasta el cielo no sólo es imposible sino harto. Es más sano y honesto decir: "Mi amor tiene estos límites". El famoso amor sin barreras es una farsa romántica que, estoy seguro, produjo más de un estrellón.

DESHOJANDO MARGARITAS

La característica fundamental del amor no violento es la capacidad de renunciar al poder, para evitar herir a la persona amada.

AMA Y NO SUFRAS

En el amor sincero y maduro, la comunicación es siempre atrevida, indiscreta y desprevenida. O, lo que es lo mismo, libre.

DESHOJANDO MARGARITAS

Cuando el *ágape* me lleva de la mano, la dulzura no tarda en llegar y es tan fácil quererte bien y tan sencillo acariciarte.

AMA Y NO SUFRAS

Una relación injusta genera desamor.

AMA Y NO SUFRAS

Amar es un estado de ánimo, una disposición. Alguna vez he tenido la sensación de que la vida está viva y el amor también. Como un ser real que fluye entre nosotros al igual que los átomos y el aire.

DESHOJANDO MARGARITAS

El amor incompleto duele y enferma. Cuanto más disgregados estén los componentes del amor, mayor será la sensación de vacío y desamor. Sólo en la presencia activa e interrelacionada del deseo, la amistad y la compasión, el amor se realiza.

Ama y no sufras

No tienes porqué resignarte a la apatía del desamor, a la dictadura de una sexualidad que se agota a sí misma. Es preferible la soledad digna y sin conflicto, que una relación incompleta en la que la carencia manda.

Ama y no sufras

¿Dónde más se puede sentir el amor si no es cerca del corazón? No hablo de sexo puro, que se siente en otra parte, hablo de aquel amor pasional que transformado en erotismo se expande hacia arriba. ¿Cómo amar de verdad sin sentir a veces la flojera en las piernas y la piel de gallina? ¿Cómo hacerlo sin dejarse llevar por el instinto, dulcemente? Entusiasmo: el *eros* saludable que te mantiene en ascuas y a toda máquina.

Ama y no sufras

No te merece quien te lastima, no te ama quien te lastima. Si el amor es "la alegría de que existas", ¿cómo destruirte sin destruirme?

AMA Y NO SUFRAS

No hay relación sin riesgo. El amor es una experiencia peligrosa y atractiva, eventualmente dolorosa y sensorialmente encantadora.

AMAR O DEPENDER

El amor tiene dos enemigos principales: la indiferencia, que lo mata lentamente, y la desilusión, que lo elimina de una vez.

AMA Y NO SUFRAS

Aunque creamos tener el control y hagamos alarde de ello, el amor se acomoda a su antojo en el ser que amamos.

LA FIDELIDAD ES MUCHO MÁS QUE AMOR

La premisa del amor: amarte es sentir la fuerza de Dios en el pecho.

AMA Y NO SUFRAS

Para vivir una relación afectiva sana y alegre no necesitamos el amor de película sino el de verdad. Quizás nos decepcione un poco que no haya calabazas convertidas en carrozas, príncipes y milagros. Pero es posible que la magia esté en insertar el amor en la convivencia mundana y el quehacer cotidiano de una humanidad personal cada vez más tambaleante.

DESHOJANDO MARGARITAS

Eros es un hecho tan real y concreto como el aire que respiramos: negarlo es una estupidez, prenderle velas, también.

AMA Y NO SUFRAS

Nadie puede vivir sin amor, porque él es la fuerza que garantiza la unión de todo el cosmos. Si no amáramos, nos desintegraríamos y no podríamos pertenecer a este todo orgánico llamado vida. De ahí viene el nombre de "alma en pena", un corpúsculo solitario de vida sin poder realizarse en los demás.

AMOR, DIVINA LOCURA

Fuera o dentro de la cama, el amor siempre es horizontal.

DESHOJANDO MARGARITAS

No puede haber amor sin delicadeza, sin la profunda decisión de no lastimar.

AMA Y NO SUFRAS

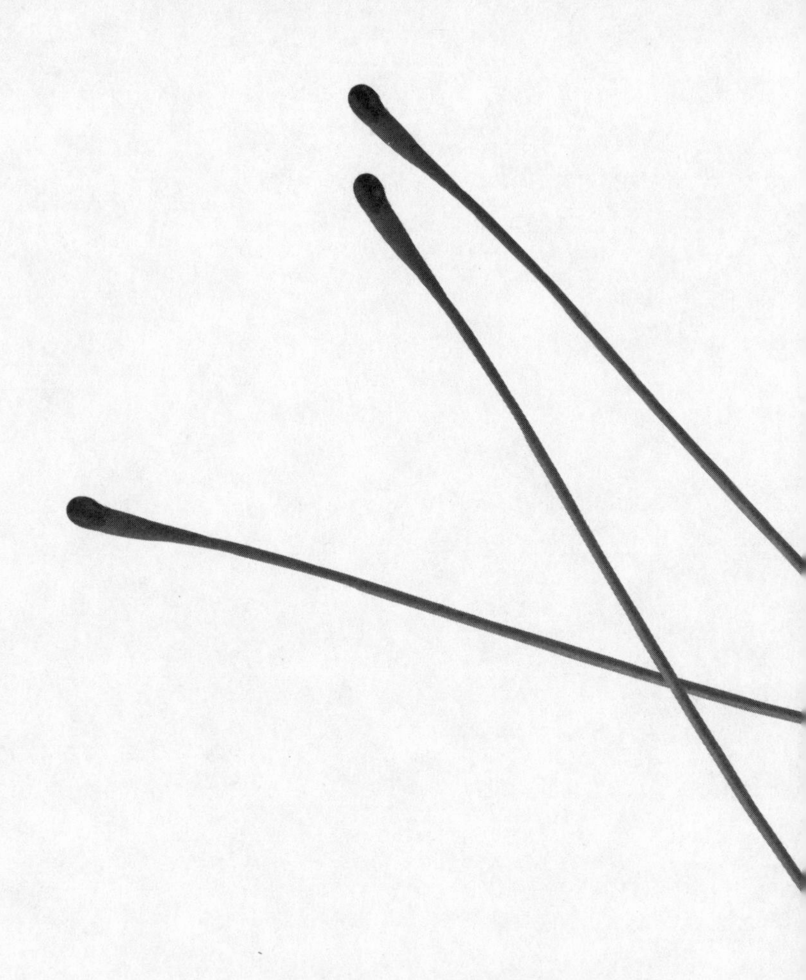

AUTOESTIMA, VALORACIÓN PERSONAL Y DIGNIDAD

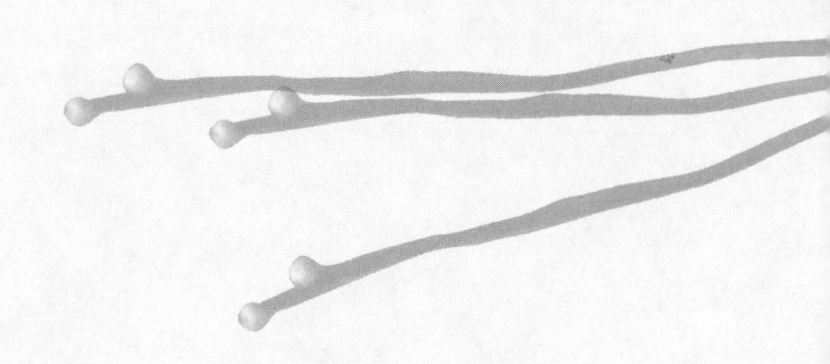

Uno de los mandatos de Dios, la naturaleza o como quiera llamarle, es que tenemos que cuidarnos a nosotros mismos y vivir dignamente, hacernos merecedores de la vida que poseemos. Si usted no se quiere, no puede entregarse con tranquilidad porque consciente o inconscientemente, creerá que está entregando algo que no vale la pena.

CUESTIÓN DE DIGNIDAD

Promulgamos el amor al prójimo a los cuatro vientos, repudiamos la agresión y el maltrato a otros, pero se nos permite, y hasta es bien visto, que regateemos, economicemos y midamos autoexpresiones de afecto. ¿Por qué debemos ser miserables con nosotros mismos? El amor a uno mismo debe expresarse con comportamientos tangibles, aunque la cultura los vea mal.

APRENDIENDO A QUERERSE A SÍ MISMO

Si disfrutas solamente dando afecto, debes revisar tu autoestima.

DESHOJANDO MARGARITAS

No importa que falles. Tu autoeficacia no sólo se alimenta de éxitos sino también de intentos.

APRENDIENDO A QUERERSE A SÍ MISMO

Nos guste o no, somos seres "yoicos": tenemos una identidad qué defender si no queremos perder la cordura.

CUESTIÓN DE DIGNIDAD

Deja que las personas decidan si van a quererte o no, sin imposiciones, con altura y elegancia. Si te quieres a ti mismo, puedes decirte: "No saben lo que se pierden".

DESHOJANDO MARGARITAS

Vivir bien es un placer y sería estúpido renunciar a ello, pero si la autoestima comienza a ser proporcional al tamaño de la chequera, la cosa se complica.

PENSAR BIEN, SENTIRSE BIEN

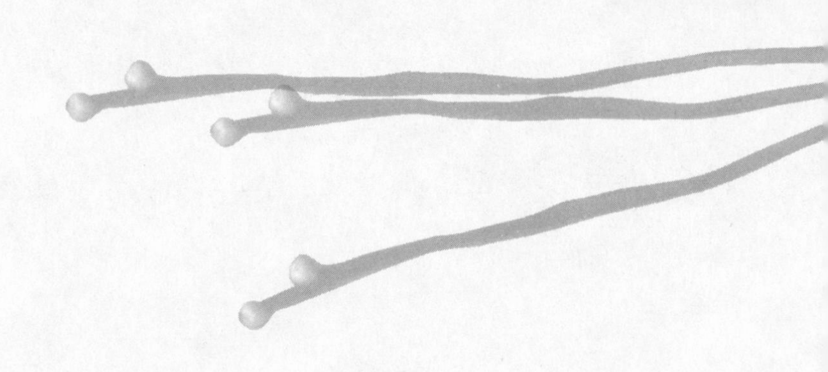

Tu principal deber es para contigo mismo.

APRENDIENDO A QUERERSE A SÍ MISMO

La mejor edad es la que tenemos. Ni un segundo más, ni un segundo menos.

LA FIDELIDAD ES MUCHO MÁS QUE AMOR

La desesperada necesidad de aprobación siempre esconde una muy baja autoestima, la cual se intenta compensar, mostrando claves de atractibilidad. La aceptación afectiva, para las personas que sustentan este estilo, es cuestión de vida o muerte. Es el aire que los mantiene vivos.

DESHOJANDO MARGARITAS

En cuestión de gustos no hay errores. Tienes el derecho a elegir lo que te plazca y lo que quieras. Inclusive, gustar de ti mismo, aunque no seas aceptado por los estilistas, la moda y las decoradoras.

AMA Y NO SUFRAS

Quererte a ti mismo es contemplarte, cuidarte y expresarte amor de manera responsable, buscando tu crecimiento personal y no tu ruina.

APRENDIENDO A QUERERSE A SÍ MISMO

Reconocer al otro como sujeto es asumir la intimidad ajena, es volver añicos la indiferencia social y afectiva y reafirmar la dignidad como derecho no negociable.

PENSAR BIEN, SENTIRSE BIEN

Avergonzarse de uno mismo es la forma más triste y humillante de autodesprecio. Es imposible dar o recibir afecto si sentimos pesar por nosotros mismos y ponemos en duda la propia valía personal. ¿Qué intercambio afectivo puedo ofrecer si pienso que soy un fraude?

DESHOJANDO MARGARITAS

El principal enemigo para el crecimiento del autoconcepto es la falta de confianza en sí mismo. Si desconfías de ti, no podrás amarte.

APRENDIENDO A QUERERSE A SÍ MISMO

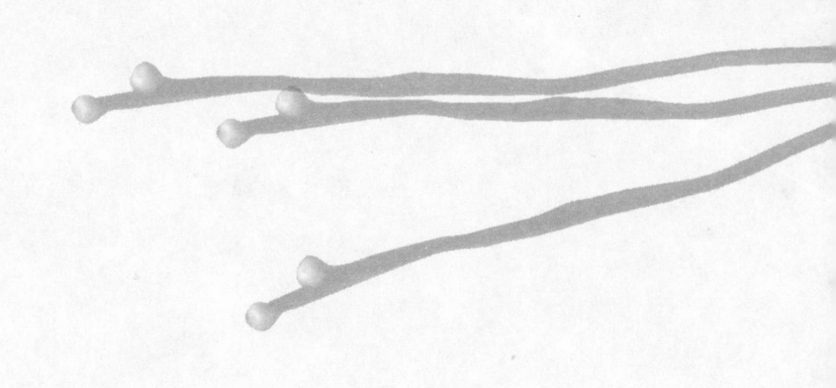

Los caminos para llegar al auto amor son incontables. Tú decides por cuál debes transitar, cuál te agrada y cuál no. Lo que jamás debes perder es la capacidad de búsqueda y de cuestionamiento.

APRENDIENDO A QUERERSE A SÍ MISMO

¿Por qué pensamos que no valemos lo suficiente? Cuando despreciamos nuestro *self*, nos oponemos al mandato fundamental de la existencia. Vivir según la naturaleza es exaltar la condición humana.

CUESTIÓN DE DIGNIDAD

Quererse a sí mismo es una tarea ardua. Es navegar contra la corriente de la masificación y la intolerancia sociocultural.

APRENDIENDO A QUERERSE A SÍ MISMO

Una buena autoestima nos hace inmunes a muchas enfermedades de la mente, mejora la autoeficacia y disminuye la probabilidad de ser infiel.

LA FIDELIDAD ES MUCHO MÁS QUE AMOR

La belleza es una actitud; si te sientes bello o bella, lo eres.

AMA Y NO SUFRAS

Al intentar dejar afuera el egoísmo excesivo, no hemos dejado entrar el amor propio.

APRENDIENDO A QUERERSE A SÍ MISMO

Autocastigarse es la manera más degradante de humillación, porque proviene de uno mismo.

AMAR O DEPENDER

Eres una máquina especial dentro del universo conocido, no te maltrates.

APRENDIENDO A QUERERSE A SÍ MISMO

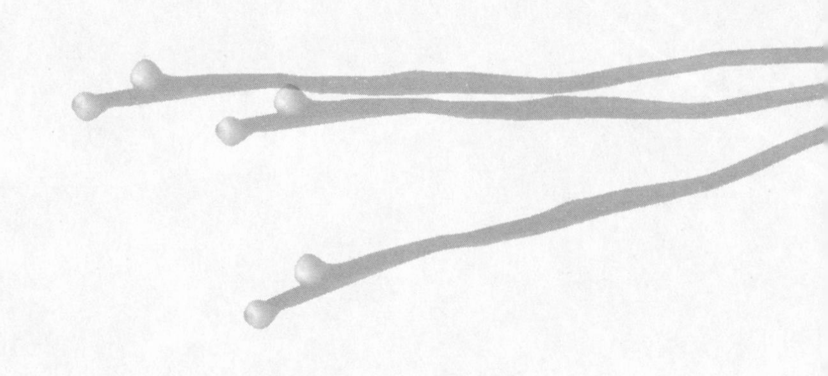

Tengo que quererme, para querer.

CUESTIÓN DE DIGNIDAD

La premisa más saludable para un hombre de aspiraciones estéticas exigentes es como sigue: "Siempre habrá alguien mejor que tú, más fascinante o más seductor, que pueda desplazarte o resultar más atractivo para tu conquista de turno. Las mujeres muy bellas cuentan con un ejército de hombres a su alrededor dispuestos a todo para atraerlas".

AMA Y NO SUFRAS

La autocrítica sana es la que llega desde el amor propio: "Me critico porque me quiero y deseo mejorar", y no desde el autodesprecio. Soy mucho más que mis errores. Soy humano, muy humano, demasiado humano, diría Nietzsche.

CUESTIÓN DE DIGNIDAD

Si no posees metas o son demasiado diminutas, tu ego será raquítico y frágil. Si no enfrentas los problemas y no peleas para alcanzar tus metas, tu ego morirá de inanición o se atrofiará. No lo dejarás crecer.

APRENDIENDO A QUERERSE A SÍ MISMO

La manera en que llevas tu cuerpo es quizás más importante que el cuerpo mismo.

AMA Y NO SUFRAS

Junto al autoconcepto, la autoimagen, la autoestima y la autoeficacia hay que abrirle campo a un nuevo auto: el autorrespeto, la ética personal que separa lo negociable de lo no negociable, el punto del no retorno.

CUESTIÓN DE DIGNIDAD

Tienes el derecho a quererte y a no sentirte culpable por ello, a disponer de tu tiempo, a descubrir tus gustos, a mimarte, a cuidarte y a elegir.

APRENDIENDO A QUERERSE A SÍ MISMO

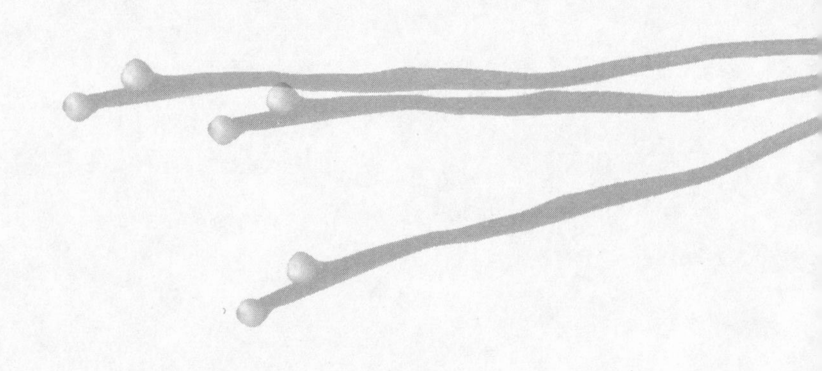

No haré nada que me dañe a mí o a las personas que amo de manera irracional o no justificada.

Ama y no sufras

Tenemos la capacidad de indignarnos cuando alguien viola nuestros derechos o somos víctimas de la humillación, la explotación o el maltrato: podemos decir NO.

Cuestión de dignidad

Es un acto de irresponsabilidad no dedicarte tiempo a ti mismo. Si hacemos de la postergación del placer una manera de vivir, nos convertimos en zombis. La vida irá perdiendo lentamente su lado ameno y satisfactorio. El costo será la insensibilidad.

Aprendiendo a quererse a sí mismo

Soy más que mis errores. Los errores no ponen en juego mi valía personal.

Pensar bien, sentirse bien

Aceptarse a uno mismo, de manera total y definitiva, es el principal requisito para la salud mental.

Cuestión de dignidad

El "no a los cultos" significa reconocer que determinados valores inculcados por nuestra sociedad se han llevado demasiado lejos, y que su ponderación exagerada, en muchas ocasiones, impide fortalecer la autoestima.

Aprendiendo a quererse a sí mismo

No te regales; no dejes que la soledad decida por ti.

Ama y no sufras

En cada uno de nosotros hay un reducto de principios donde el "yo" se niega a rendir pleitesía y se rebela.

Cuestión de dignidad

La belleza es una actitud. Tienes muchas opciones para "gustarte". Pregúntate qué más tienes fuera de huesos y piel.

Aprendiendo a quererse a sí mismo

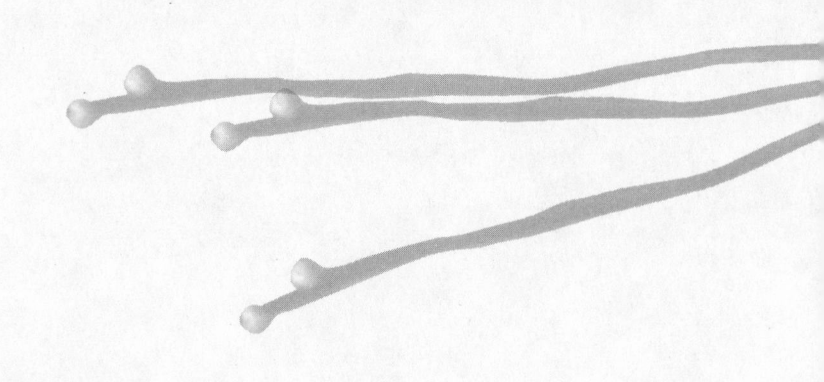

No necesitas suicidarte para quedar en paz, porque Dios te quiere vivo, mejorando y dignificando tu calidad de mónada pensante. En vez de castigarte, puedes asumir el compromiso de tus actos, arrepentirte, dar la cara valientemente y aceptar las consecuencias. No te ataques a ti mismo: respétate.

Sabiduría emocional

Para exigir respeto debo empezar por respetarme a mí mismo y reconocer aquello que me hace particularmente valioso, es decir: debo quererme y sentirme digno de amor. La dignidad personal es el reconocimiento de que somos merecedores de lo mejor.

Cuestión de dignidad

Eres mucho más que piel y huesos. Eres el conjunto vivo y armonizado de infinidad de atributos que pueden enloquecer de placer a cualquiera, si te dispones a ello.

Aprendiendo a quererse a sí mismo

La valía personal nunca está en juego. Todo ser humano es querible por naturaleza. Por el sólo hecho de estar vivo eres digno de ser admirado.

DESHOJANDO MARGARITAS

Detrás del ego que acapara está el "yo" que vive y ama, pero también está el "yo" aporreado, el "yo" que exige respeto, el "yo" que no quiere doblegarse, el "yo" humano: el "yo" digno.

CUESTIÓN DE DIGNIDAD

Requerir el perdón es un acto de valentía y un bálsamo, pero jamás debe hacerse como un acto de laceración personal, sino de engrandecimiento.

SABIDURÍA EMOCIONAL

Para cualquier ser humano normal el maltrato no es negociable.

CUESTIÓN DE DIGNIDAD

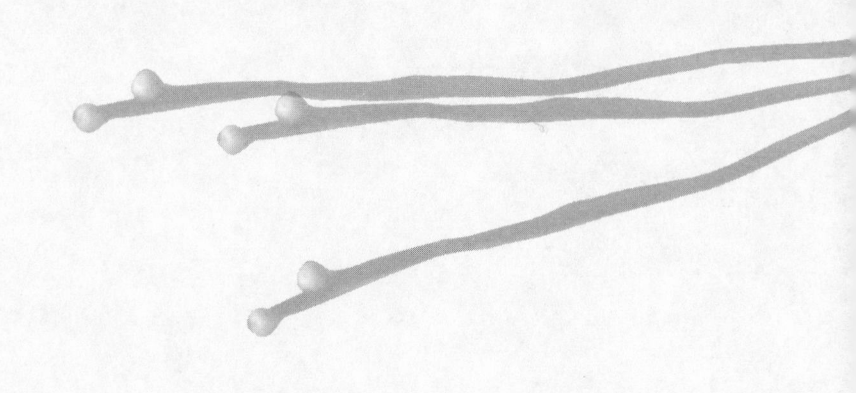

Para solicitar perdón, solamente se llega por un camino: la humildad. Pero una humildad decorosa. La absolución que se pide, si es digna, es decir, no humillante, ni atentatoria de la propia esencia, es un paso importante para el fortalecimiento del "yo".

SABIDURÍA EMOCIONAL

Cuando la ponemos al servicio de fines nobles, la asertividad no sólo se convierte en un instrumento de salvaguardia personal, sino que nos dignifica.

CUESTIÓN DE DIGNIDAD

A veces, aunque nos parezca desproporcionado, sentirse no deseado puede ser tan doloroso como sentirse no amado. No gustarle a la persona que amamos es una catástrofe para la autoestima.

AMA Y NO SUFRAS

No podemos resignarnos a la descortesía de la persona que amamos.

Cuestión de dignidad

La culpabilidad sobreviene como consecuencia de un juicio valorativo negativo frente al propio comportamiento.

Deshojando margaritas

Más allá de las apariencias, en el resguardo más escondido de la humanidad que cargamos, hay un sitio especial en el que somos tan crudamente iguales, tan desesperadamente humanos, tan misteriosamente frágiles, que nadie merece sentirse inferior.

Cuestión de dignidad

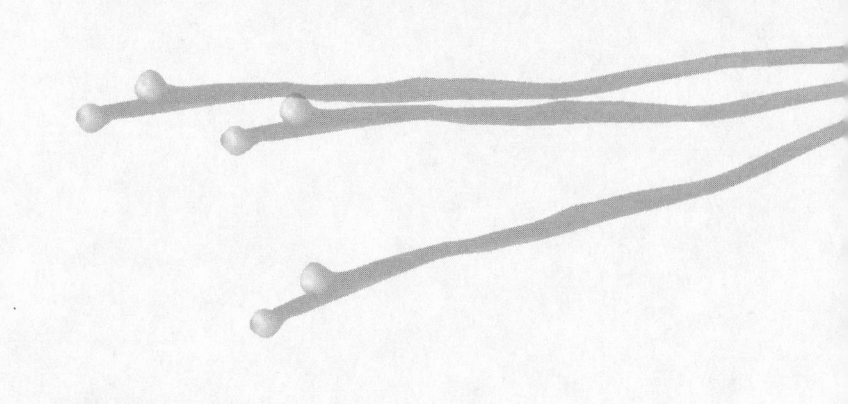

Para poder amarte a ti mismo debes darte permisos de vez en cuando. Sin embargo, estos permisos no deben ser nocivos para tu salud ni para las personas que te rodean. Una filosofía sana, orientada al autoamor, es cuidarte por sobre todas las cosas y no producirte daños. Quererte a ti mismo es contemplarte, cuidarte y expresarte amor de manera responsable, buscando tu crecimiento personal y no tu ruina.

Aprendiendo a quererse a sí mismo

La tolerancia es una virtud, pero, sin los límites que define la dignidad personal se convierte en rendición, dependencia humillante, aniquilación del "yo".

Cuestión de dignidad

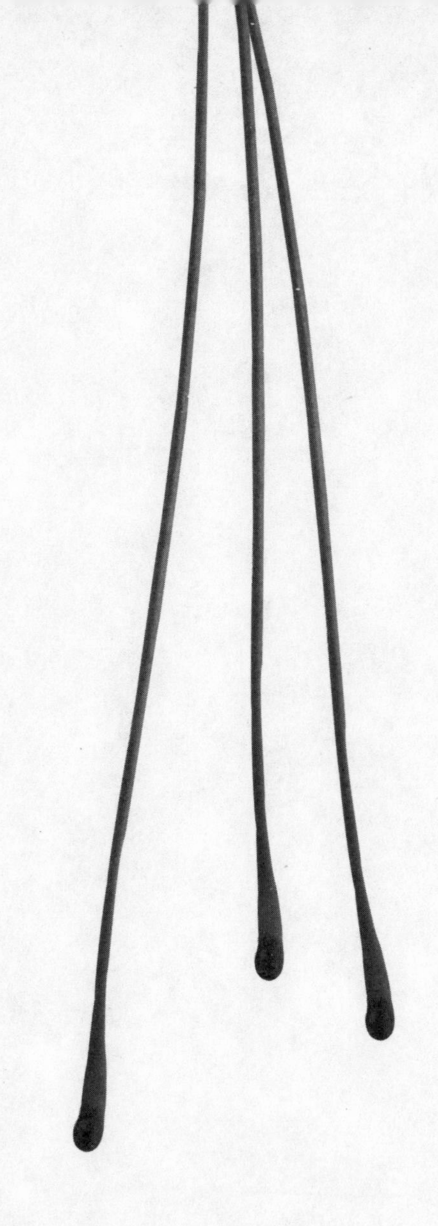

DEPENDENCIA AFECTIVA

Una sobredosis de amor asusta demasiado, ya que puede ser tan mortal como cualquier droga. El estilo hostigante seductor es la mayor expresión de la adicción afectiva. Su objetivo: saciar una autoestima cada vez más árida y desértica. Así, el amor se convierte en un medio reparador y no en un fin en sí mismo.

DESHOJANDO MARGARITAS

Cuando hagas las paces con la soledad, los apegos dejarán de molestar.

AMAR O DEPENDER

Si te encuentras alguna vez diciendo cosas como: "Te necesito", "Sin ti no soy nada" o "Sin ti mi vida no tiene sentido", empieza a preocuparte. Y si tu pareja te lo dice, preocúpate aun más. Hacerse cargo de otra persona, aunque pueda ser estimulante al inicio de una relación, es limitante y peligroso. Puedes llegar a creerte demasiado "especial" sin serlo.

DESHOJANDO MARGARITAS

El apego, casi siempre, es el terreno donde prospera el temor y la inseguridad.

DESHOJANDO MARGARITAS

Dale mantenimiento a tu vida de vez en cuando. Nadie lo hará mejor que tú. Cuando dejes de encomendarte a otros y te hagas responsable de tus actos, descubrirás tu verdadera fortaleza.

AMAR O DEPENDER

El estilo dependiente produce un afecto de contagio invertido en la pareja. Cuanto más adhesiva y necesitada de ayuda sea una parte, más autosuficiente se torna la otra.

DESHOJANDO MARGARITAS

Revisa si tu amor está contaminado por la necesidad de protección. El sentimiento sincero y sano no persigue seguridad: no busca nada. Surge por sí solo y se manifiesta al margen de nuestras debilidades o fortalezas.

DESHOJANDO MARGARITAS

Vincularse afectivamente no es enterrarse en vida, ni reducir tu hedonismo a dos o tres horas al día.

AMAR O DEPENDER

Cuando decidas ser independiente y dejar que tu verdadera fuerza aflore, verás que un sentido de igualdad comienza a surgir y con él un amor tranquilo e íntegro. No eres débil, sólo te convencerás cuando lo intentes.

DESHOJANDO MARGARITAS

Los que se entregan demasiado y no demandan, piden o esperan nada. Estas personas muestran una muy baja territorialidad, pero solamente para la entrega. Se exceden en dar, pero son deficitarios en el momento de exigir. Pertenecen a este grupo los sumisos.

DESHOJANDO MARGARITAS

Las personas dependientes actúan como si su pareja fuera la única opción del universo. Pero la verdadera razón es que buscar otro cuidador llevaría tiempo, y mientras tanto se quedarían solos.

DESHOJANDO MARGARITAS

El amor por sí solo no es suficiente para modificar una conducta adictiva.

AMAR O DEPENDER

El estilo sumiso se fundamenta en un problema de conceptualización frente a los derechos asertivos. Estas personas confunden la defensa de los derechos con agresión. Por evitar excederse, se reprimen. Para ellos, negarse es ser grosero.

DESHOJANDO MARGARITAS

La subyugación, en cualquiera de sus manifestaciones, no genera respeto, sino pesar. Nadie admira a un esclavo, a lo sumo se lo aprecia un poco, cuando se está de buen humor.

DESHOJANDO MARGARITAS

Un marido ventajoso y una mujer resignada es la peor combinación.

La fidelidad es mucho más que amor

El apego corrompe, destruye y hace que las personas se humillen.

Deshojando margaritas

La sumisión niega el amor porque no lo deja fluir, lo aniquila traicioneramente en nombre de la entrega total. Si te niegas el placer de recibir dignamente amor, te condenas al oscuro mundo del estoicismo.

Deshojando margaritas

El apego enferma, castra, incapacita, elimina criterios, degrada y somete, deprime, genera estrés, asusta, cansa, desgasta y, finalmente, acaba con todo residuo de humanidad disponible.

Amar o depender

Los que sufren de adicción afectiva y apego disminuyen sus defensas al mínimo y dejan entrar a cualquiera.

DESHOJANDO MARGARITAS

La posesión afectiva, en cualquiera de sus formas y bajo cualquier excusa, es deshumanizante.

DESHOJANDO MARGARITAS

Sin autonomía no hay amor, sólo adicción complaciente.

AMAR O DEPENDER

La conducta de apego, pese a su indudable importancia para la supervivencia, no parece ser el mejor exponente de un amor desinteresado.

DESHOJANDO MARGARITAS

Cuando el estilo de sumisión es llevado a la vida afectiva, las consecuencias no suelen ser prósperas. Al principio, la subordinación produce placer en el receptor, pero con el tiempo la persona sumisa produce fastidio y rechazo.

DESHOJANDO MARGARITAS

Ponerte en su lugar no es "fusionarte" hasta perder tu esencia. Es compartir, partir en dos el dolor, dos individualidades.

AMA Y NO SUFRAS

La sumisión es una forma encubierta de violencia que lastima, hiere y destruye la libre expresión de afecto.

DESHOJANDO MARGARITAS

La adicción afectiva es el peor de los vicios.

AMAR O DEPENDER

La dependencia es la peor enemiga del amor.

DESHOJANDO MARGARITAS

Es tentador ver un buen amo y no convertirse en esclavo, y es igualmente atractivo ver un buen esclavo y no convertirse en amo.

DESHOJANDO MARGARITAS

APRENDER
A PERDER

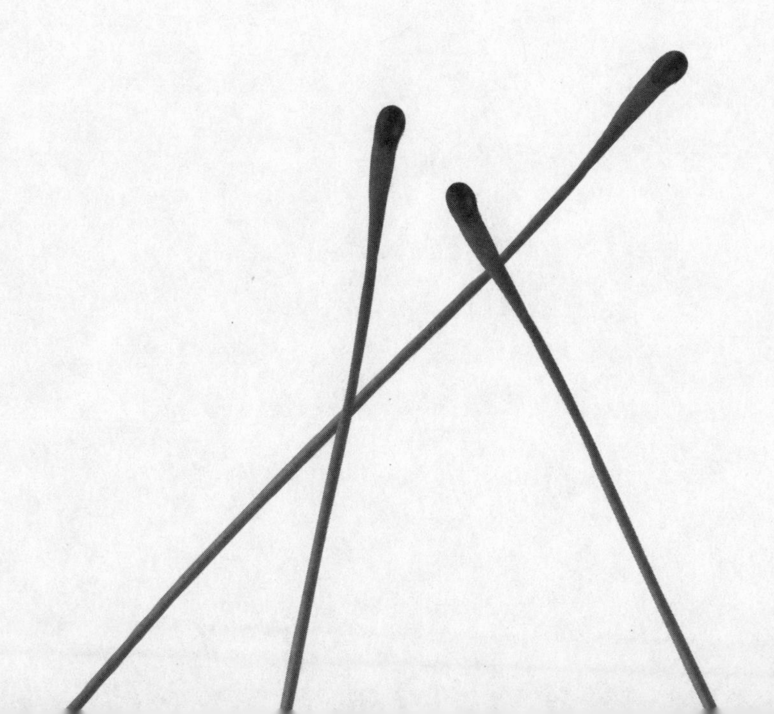

Aceptar lo peor que podría ocurrir, es un medio para desenmascarar el problema y dejarlo a punto.

PENSAR BIEN, SENTIRSE BIEN

Las personas con una vida espiritual intensa son más fuertes ante la adversidad y emocionalmente más maduras. Aprenden a renunciar y a darse por vencidas cuando deben hacerlo.

AMAR O DEPENDER

Aprender a perder es abandonar el campo de combate para no volver jamás; de cierta manera, es olvidar el futuro.

SABIDURÍA EMOCIONAL

Si acepto lo peor, ya no necesito protegerme, no necesito el autoengaño porque estoy dispuesto y expuesto.

PENSAR BIEN, SENTIRSE BIEN

Aceptar la posibilidad de renovarse implica que la curiosidad como fuerza positiva se imponga a la parálisis que genera el temor. Abandonar las viejas costumbres y permitirse la revisión de las creencias que nos han gobernado durante años requiere de valentía.

PENSAR BIEN, SENTIRSE BIEN

Hay que aprender a perder, sobre todo en el amor. Es preferible retirarse a tiempo cuando las opciones son pocas, renunciar, para evitar un sufrimiento peor más adelante.

AMA Y NO SUFRAS

Podemos llevar a cabo la ruptura con lo que nos ata de dos maneras: (a) lentamente, en el sentido de desapegarse, despegarse, ó (b) de manera rápida, lo cual implica "aceptar lo peor que podría ocurrir" de una vez por todas, en el sentido de soltarse, saltar al vacío, jugársela sin anestesia.

PENSAR BIEN, SENTIRSE BIEN

La madurez psicológica de un "yo" fuerte es la aceptación de que nada es para toda la vida. Del desprendimiento nace la paz.

SABIDURÍA EMOCIONAL

Resignarse cuando algo escapa de nuestro control es sabiduría; desprenderse del futuro es trascendencia.

PENSAR BIEN, SENTIRSE BIEN

Si pretendes inmortalizar el amor, terminarás asistiendo a su funeral. Sólo disfrútalo. Si sientes que se está agotando, intenta salvarlo; a veces es posible hacerlo. Si pese a tu esfuerzo el amor se desvanece, simplemente acéptalo.

DESHOJANDO MARGARITAS

A veces la voluntad sobra y es más inteligente seguir los mandatos de la naturaleza.

PENSAR BIEN, SENTIRSE BIEN

La renunciación, en cualquiera de sus formas, es un acto de redención. Sufrir innecesariamente no es un valor rescatable. No hay que insistir ni invertir psicológicamente en lo que no produzca paz. Hay que deponer las armas y solamente hacerse cargo de lo que verdaderamente es vital para uno. Colgar los guantes y privarse de nuevos golpes es prologar la vida.

SABIDURÍA EMOCIONAL

Aprender a perder significa que cuando lo bueno se acabó, se acabó.

PENSAR BIEN, SENTIRSE BIEN

Haz una lista de las luchas que no consideras tuyas, de las que no te convienen, de las que estás cansado de insistir e insistir. Asume con pasión y amor lo que verdaderamente quieras llevar adelante y desecha esos viejos encartes que te asignaron con o sin tu consentimiento. Notarás que el mañana dejará de ser una carga impositiva.

SABIDURÍA EMOCIONAL

La perseverancia se considera una cualidad de los grandes triunfadores y la recomendamos a los cuatro vientos. Me pregunto, ¿y qué hay de la importancia de aprender a perder o deponer las armas a tiempo? ¿Dónde queda el atributo que define al buen perdedor?

PENSAR BIEN, SENTIRSE BIEN

En determinadas circunstancias, aprender a perder y retirarse oportunamente puede ser la mejor elección. Cuando la perseverancia se convierte en obstinación, la virtud cede paso a la inmadurez.

AMAR O DEPENDER

La testarudez no es una virtud, como no lo es la perseverancia ciega e irracional.

PENSAR BIEN, SENTIRSE BIEN

Muchas veces no hay nada que hacer más que rendirse.

PENSAR BIEN, SENTIRSE BIEN

Tolerar la frustración de que no siempre podemos obtener lo que esperamos, implica saber perder y resignarse cuando no hay nada qué hacer. Significa ser capaz de elaborar duelos, procesar pérdidas y aceptar, aunque sea a regañadientes, que la vida no gira a nuestro alrededor.

AMAR O DEPENDER

La paciencia es una de las habilidades más difíciles de lograr para cualquier persona, porque ella implica desprenderse de las expectativas y resignarse a que las cosas sigan su curso. Es decir, sentarse en la cresta de la ola, dejar que ella lo lleve y aceptar lo peor que pueda ocurrir.

SABIDURÍA EMOCIONAL

Sé un buen perdedor y harás de la derrota una oportunidad para seguir avanzando sin tanta prisa. El que renuncia deja de esperar; por eso, la resignación sana es ausencia de deseo y un paso a la sabiduría.

SABIDURÍA EMOCIONAL

No tiene sentido hacerle pataleta a la vida.

PENSAR BIEN, SENTIRSE BIEN

La sana resignación es aprender a desprenderse de los resultados, pero no por inseguridad, sino por el firme propósito de no continuar en un conflicto sin sentido: "Ésta no es mi guerra". La renuncia implica salirse del combate, pero no por la cobardía del desertor que traiciona, sino porque no vale la pena.

SABIDURÍA EMOCIONAL

Hay que habitar la incertidumbre y eliminar la ilusión de control que pregona la cultura. Vivir la incertidumbre sanamente es aceptar el juego de lo imprevisible, de ser proceso y no estado. Es bajar la cabeza y guardarse el ego en el bolsillo.

PENSAR BIEN, SENTIRSE BIEN

Si tu vida no está en juego, a veces hay que entregarse a la Divina Providencia (versión católica) y/o al universo (versión oriental). Desdramatizar las situaciones y dejar que la vida obre con su sabiduría.

PENSAR BIEN, SENTIRSE BIEN

No se nos ha enseñado qué hacer cuando no hay nada para hacer.

SABIDURÍA EMOCIONAL

A veces, la mejor manera de ayudarle a la vida es no ofrecer resistencia.

SABIDURÍA EMOCIONAL

Al entregarse a la Divina Providencia se deja de vivir en el futuro porque ya no hay nada que controlar.

SABIDURÍA EMOCIONAL

Quizá el único camino para alcanzar cierta paz interior sea desaprender en vez de aprender, dejar de hacer fuerza.

PENSAR BIEN, SENTIRSE BIEN

La aceptación de lo peor que pudiera ocurrir no es precisamente un acto de fe convencional, en el sentido de que "confío que me va a ir bien", sino la fe del "no me importa". El desgonce en el cosmos, es decir, el desmayo de la mente. Hablo del suicidio provisional del ego que se ve a sí mismo como estorbando y decide hacerse a un lado. Un lapsus de amor y desprendimiento para que Dios pueda pasar.

SABIDURÍA EMOCIONAL

AMISTAD

Hacer el amor con el mejor o la mejor amiga; ésa es la esencia de un amante feliz.

AMA Y NO SUFRAS

La admiración y la amistad nos enseñan que *eros* no siempre llega como una tromba. En ocasiones lo hace con ternura, como una brisa suave, como un reconocimiento silencioso.

AMA Y NO SUFRAS

No sólo "hacemos el amor", también "hacemos la amistad" en términos afectivos.

AMA Y NO SUFRAS

Eres amigo en la medida en que te comportas como tal; no basta con sentirlo.

AMA Y NO SUFRAS

La amistad no es acomodaticia, sino incondicional.

DESHOJANDO MARGARITAS

Mientras *eros* puede activarse ante personas opuestas y distintas, *philia* sólo puede crecer en la semejanza.

AMA Y NO SUFRAS

Parecerse es estar en la misma orilla, no necesariamente en el mismo sitio y respirando el mismo aire, sino abarcar la misma panorámica. En la amistad no hay que ponerse en el lugar del otro, porque ya estamos allí.

AMA Y NO SUFRAS

Philia es la mezcla ponderada y racional entre lo concupiscente (recibir beneficios) y lo benevolente (entregar bienestar).

AMA Y NO SUFRAS

Es imposible sostener una relación de amistad si no hay credibilidad. Y por credibilidad entiendo la confianza básica: la certeza de que la persona amada nunca nos hará daño intencionalmente.

AMA Y NO SUFRAS

La persona fiel no "condiciona" su afecto a las circunstancias. "Estoy contigo", "Cuenta conmigo", "No importa lo que hagas, aquí estaré si me necesitas" nos reconfortan el espíritu. En los momentos difíciles, esos son los amigos de verdad.

DESHOJANDO MARGARITAS

Eres amigo en la medida en que te comportas como tal, no basta con sentirlo. El amigo se nota, hace bulla, se manifiesta, porque ésa es su esencia.

AMA Y NO SUFRAS

Amistad amorosa: gozar de la persona amada sin angustia y con benevolencia. Me alegra tu alegría, me complace verte feliz.

AMA Y NO SUFRAS

La amistad de pareja se basa en algo más que deseo (*eros*) y compasión (*ágape*). Yo diría que es una mezcla de gusto y humor.

AMA Y NO SUFRAS

Aunque sea complicado, la solidaridad en la amistad siempre deja espacio y puertas para refrescarse. El compromiso es informal y no del todo asfixiante: puedo escapar cuando quiera.

DESHOJANDO MARGARITAS

La amistad no llega de afuera, tú la promueves o la destruyes. *Philia*, en gran parte, depende de uno.

AMA Y NO SUFRAS

Cuando seleccionamos pareja, no sólo elegimos el o la amante, también elegimos un amigo en potencia, la *philia* de la alegre coincidencia.

AMA Y NO SUFRAS

Nos duele el amigo que no nos corresponde, así volvamos a correr en su auxilio y lo perdonemos varias veces, nos duele el desdén de la persona que queremos.

AMA Y NO SUFRAS

La amistad, por más amorosa que sea nunca es totalmente desinteresada, así que no debes sentirte mal si esperas retribución.

AMA Y NO SUFRAS

Las buenas parejas son amigas.

AMA Y NO SUFRAS

El buen amigo no oculta sus defectos, los pone sobre la mesa para señalarnos el peligro de creer en él más allá de lo conveniente. No necesitamos amigos que sean un dechado de virtudes, no serían confiables. Necesitamos amigos sinceros, jamás perfectos.

AMA Y NO SUFRAS

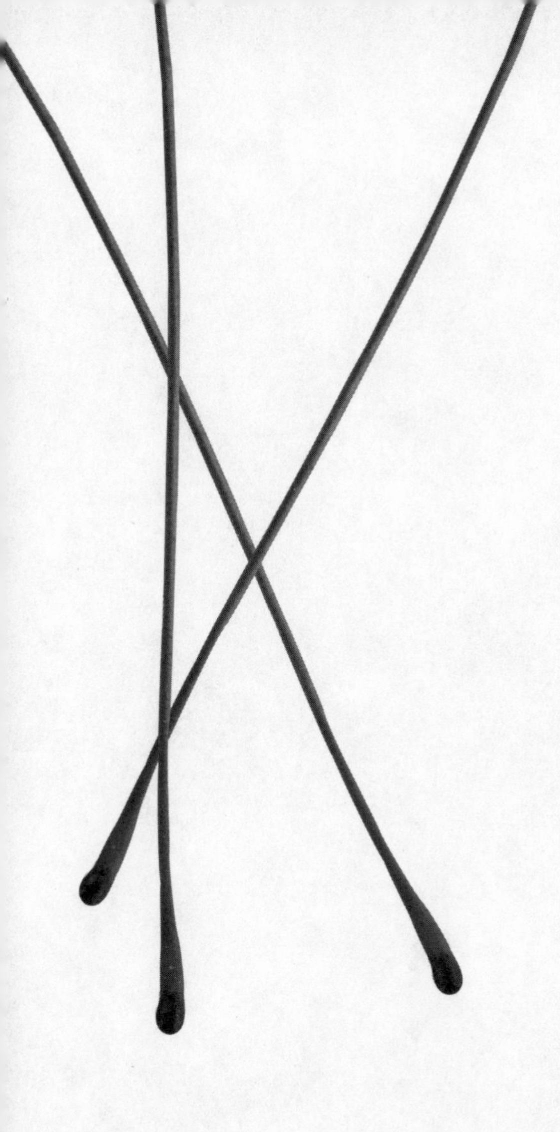

BALANCE Y EQUILIBRIO

La coherencia es la tendencia a organizar las partes (pensar, sentir y actuar) en un todo relacionado, correlativo, para hacerla compatible en lo fundamental.

PENSAR BIEN, SENTIRSE BIEN

La atención debe ser balanceada. Ver todo: lo bueno y lo malo. No podemos fraccionar la vida como si se tratara de una cuestión de compra y venta. Ver todo, estar en contacto pleno con la realidad. Tomar conciencia de los esquemas que dirigen nuestra atención y completar la observación con lo que nos quedó por fuera. Ver la belleza del bosque, sin dejar escapar la belleza de cada árbol.

APRENDIENDO A QUERERSE A SÍ MISMO

No se trata de construir consolaciones idealistas e ingenuas, porque sería otra forma de autoengaño, sino de crear la costumbre de andar por el camino del medio.

PENSAR BIEN, SENTIRSE BIEN

A veces hay que esperanzarse y a veces hay que tirar la toalla. ¿Buda o Jesús? Ambos.

PENSAR BIEN, SENTIRSE BIEN

No exigirse es tan malo como sobreexigirse.

APRENDIENDO A QUERERSE A SÍ MISMO

Un balance afectivo adecuado requiere estar abierto a dar y recibir afecto, asumiendo las consecuencias y corriendo riesgos.

DESHOJANDO MARGARITAS

Para vencer los sesgos hay que equilibrar la información que procesamos.

PENSAR BIEN, SENTIRSE BIEN

Las personas lambonas y hostigantes carecen totalmente de espacios de reserva. Es tan malo entrar en guerra como no tener soberanía.

DESHOJANDO MARGARITAS

Para evitar caer en la pedantería insufrible del sabelotodo, hemos caído en la modestia autodestructiva de la negación de nuestras virtudes. Por no ser derrochadores, somos mezquinos.

APRENDIENDO A QUERERSE A SÍ MISMO

Nadie niega que la expresividad es buena y saludable, pero si se exagera es hostigante y perniciosa.

DESHOJANDO MARGARITAS

La vida está compuesta de tonalidades, más que de blancos y negros.

APRENDIENDO A QUERERSE A SÍ MISMO

"Vivir según la naturaleza". ¿Pero cuál naturaleza? La que es exclusivamente humana, la que otorga la reflexión ponderada y bien calibrada.

PENSAR BIEN, SENTIRSE BIEN

Si el miedo y la ira nos aceleran, la tristeza nos aplaca. La naturaleza nos pone el freno de emergencia de vez en cuando y nos obliga a hacer una parada en el camino.

APRENDIENDO A QUERERSE A SÍ MISMO

El culto a la habituación te impedirá innovar y descubrir otros mundos. El culto a la racionalización te convertirá en una especie de computador. El culto al autocontrol será un dique de contención a todas tus emociones y sentimientos. El culto a la modestia te llevará a no valorar tus éxitos y esfuerzos. El culto al ahorro te impedirá darte gustos. Estas creencias no son malas en sí mismas, pero en altas dosis y llevadas al extremo son perjudiciales para tu salud mental.

APRENDIENDO A QUERERSE A SÍ MISMO

Romantizar todas las relaciones interpersonales convierte el amor en un frasco de arequipe: hostigante. Sobar, besar, acariciar, suspirar y abanicar las pestañas ante la mínima expresión del otro es no respetar el amor. Amar no es convertirse en una garrapata afectiva.

DESHOJANDO MARGARITAS

Entre el extremo del autocontrol excesivo (ascetista) y la búsqueda desenfrenada del placer inmediato (epicureísmo), hay un punto intermedio donde es posible el deleite responsable.

APRENDIENDO A QUERERSE A SÍ MISMO

La atención debe ser balanceada. Ver todo: lo bueno y lo malo. No podemos fraccionar la vida como si se tratara de una cuestión de compra y venta. Ver todo, estar en contacto pleno con la realidad. Tomar conciencia de los esquemas que dirigen nuestra atención y completar la observación con lo que nos quedó por fuera. Ver la belleza del bosque, sin dejar escapar la belleza de cada árbol.

PENSAR BIEN, SENTIRSE BIEN

Es tan malo el descontrol desenfrenado como el control excesivo.

APRENDIENDO A QUERERSE A SÍ MISMO

Siente el amor con todas sus fuerzas, vívelo intensamente, apasiónate, pero sin destruirte. La pasión saludable no implica perder conciencia.

AMA Y NO SUFRAS

La reciprocidad es la base sobre la cual se edifica el amor equilibrado. Nadie te está sugiriendo que seas codicioso y hambriento en la relación con tu pareja. Lo que se argumenta aquí es el respeto por uno mismo y el trato igualitario.

DESHOJANDO MARGARITAS

Si tú y la persona que amas coinciden en la risa, todo anda bien, y si se encuentran en los silencios, mejor aun.

AMA Y NO SUFRAS

Tu pareja debe ser tu compinche: no tu alma gemela ni tu peor adversario, sino un ser semejante a ti, alguien que pueda indignarse o asombrarse cuando tú te indignas o te asombras.

AMA Y NO SUFRAS

La gente no es tan mala como crees, ni tú eres tan honrado como piensas.

Deshojando margaritas

¿Cómo te das cuenta de si estás con la persona adecuada? Porque casi todo fluye de manera relajada y natural. No tienes que pasar horas tratando de convencer al otro sobre cuestiones que para ti son más que obvias. ¿Cuáles serían aquellos ingredientes mínimos para que una relación sea funcional? Básicamente dos: tranquilidad y deseo manejable. Tranquilidad de que no estás con el enemigo en casa, de que militas en el mismo bando. Y un *eros* dispuesto, sin adicción.

Ama y no sufras

La sinceridad puede ser la más cruel de las virtudes, cuando se la priva de excepciones.

Cuestión de dignidad

El optimismo ilusorio puede ser tan nefasto como el pesimismo crónico.

Pensar bien, sentirse bien

Amar no es sujetarse a otro como una hiedra, pero tampoco es eliminar la efervescencia que lo acompaña.

AMOR, DIVINA LOCURA

Ver el mundo en blanco y negro nos aleja de la moderación y de la paz interior porque la vida, por donde se mire, está compuesta de matices.

PENSAR BIEN, SENTIRSE BIEN

Cuando tu manera de pensar se encuentre en un extremo irracional, afloja el cinturón.

PENSAR BIEN, SENTIRSE BIEN

Si el trabajo dignifica al hombre, el descanso y la recreación también.

APRENDIENDO A QUERERSE A SÍ MISMO

Pensar bien no es excluir la emoción sino integrarla cuando debe hacerse y en dosis adecuadas. Hay veces en que debemos ser muy emocionales y otras, bastante racionales. La sabiduría está en aprender a discriminar.

PENSAR BIEN, SENTIRSE BIEN

La insinuación moderada es siempre más excitante que la evidente.

DESHOJANDO MARGARITAS

No existen pensamientos puros, nuestro sistema está impregnado de afecto y son muy pocas las emociones libres de cognición. Razón y emoción: dos caras de la misma moneda.

PENSAR BIEN, SENTIRSE BIEN

Es imposible convivir sanamente sin un equilibrio entre el "dar" y el "recibir".

AMAR O DEPENDER

Los grandes maestros y los sabios muestran una integridad básica que se refleja en el cuerpo y en la manera de relacionarse con el mundo. Verlos vivir es ya una enseñanza, verlos aceptar sus errores, una lección. Coherencia y flexibilidad, la clave de todo crecimiento personal: intentar ser consecuente, pero abierto al cambio.

PENSAR BIEN, SENTIRSE BIEN

CAMBIO Y FLEXIBILIDAD

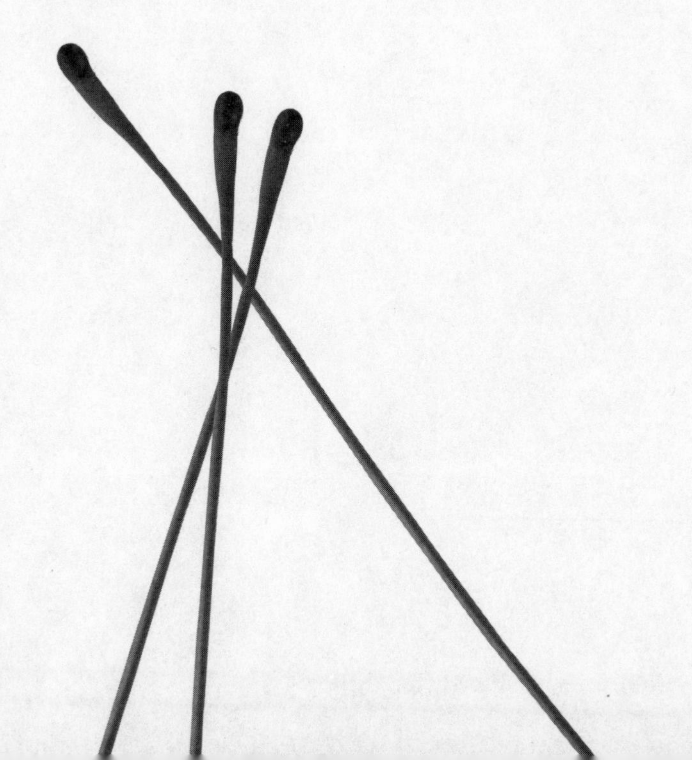

Si quieres cambiar tu manera de pensar, el primer paso es observar el pensamiento e identificar la relación que él establece con todo el conjunto de hechos que lo rodean.

PENSAR BIEN, SENTIRSE BIEN

Ser flexible es, sin lugar a dudas, una virtud de las personas inteligentes.

APRENDIENDO A QUERERSE A SÍ MISMO

La mayoría de las personas mostramos una alta resistencia al cambio. Preferimos lo conocido a lo desconocido, puesto que lo nuevo suele generar incomodidad y estrés. Cambiar implica pasar de un estado a otro, lo cual hace que inevitablemente el sistema se desorganice para volver a organizarse luego, asumiendo otra estructura.

PENSAR BIEN, SENTIRSE BIEN

Si te descubres intentando subir algún monte Everest, o cambias de montaña o disfrutas del paseo.

APRENDIENDO A QUERERSE A SÍ MISMO

La gente que decide cambiar de verdad, produce revuelo a su alrededor: los amigos se asombran, los conocidos murmuran y los enemigos se mueren de la envidia.

PENSAR BIEN, SENTIRSE BIEN

El pasado no te condena. De hecho, tu presente es el pasado de mañana. Si cambias en el aquí y el ahora, estarás contribuyendo de manera significativa a tu destino.

APRENDIENDO A QUERERSE A SÍ MISMO

Acepta tus límites, asúmelos y comunícalos honestamente: no hay mayor lealtad.

DESHOJANDO MARGARITAS

Para cambiar hay que tener "fuerza de voluntad". Persistir en la racionalidad, enfrentar el miedo a lo desconocido, no escapar ante el primer obstáculo y no perder de vista las ventajas de lo nuevo.

PENSAR BIEN, SENTIRSE BIEN

El cambio requiere que desechemos durante un tiempo las señales de seguridad de los antiguos esquemas que nos han acompañado durante años, para adoptar otros comportamientos con los que no estamos tan familiarizados ni nos generan tanta confianza. Crecer duele y asusta.

PENSAR BIEN, SENTIRSE BIEN

Para cambiar hay que ser serio, en el sentido de "hablar en serio", de comprometerse con uno mismo desde lo esencial.

PENSAR BIEN, SENTIRSE BIEN

Hay que estar comprometido con el proceso del cambio y desearlo desde lo más profundo. Estar consciente de que cualquier transformación supone una dosis de esfuerzo e incomodidad: renunciar al principio del placer ahora para obtener un beneficio mayor después.

PENSAR BIEN, SENTIRSE BIEN

No temas revisar, cambiar o modificar tus metas si ellas son fuente de sufrimiento.

APRENDIENDO A QUERERSE A SÍ MISMO

Si no cambias, te cambian, ésa es la lógica del progreso. Si te quedas petrificado en la costumbre, la historia te pasa por encima. Está demostrado que los que se resisten al cambio suelen terminar aplastados por la contundencia de los hechos.

PENSAR BIEN, SENTIRSE BIEN

Las creencias más profundas se tambalean cuando nuestras señales de seguridad desaparecen, y allí el cambio es inevitable.

PENSAR BIEN, SENTIRSE BIEN

Para cambiar, la mente debe hacer tres cosas: (a) dejar de mentirse a sí misma (realismo), (b) aprender a perder (humildad) y (c) aprender a discriminar cuándo se justifica actuar y cuándo no (sabiduría). Realismo, humildad y sabiduría, los tres pilares de la revolución psicológica.

PENSAR BIEN, SENTIRSE BIEN

El cambio real implica modificar muchos factores asociados a las creencias y esa modificación supone un costo que no siempre estamos dispuestos a asumir.

PENSAR BIEN, SENTIRSE BIEN

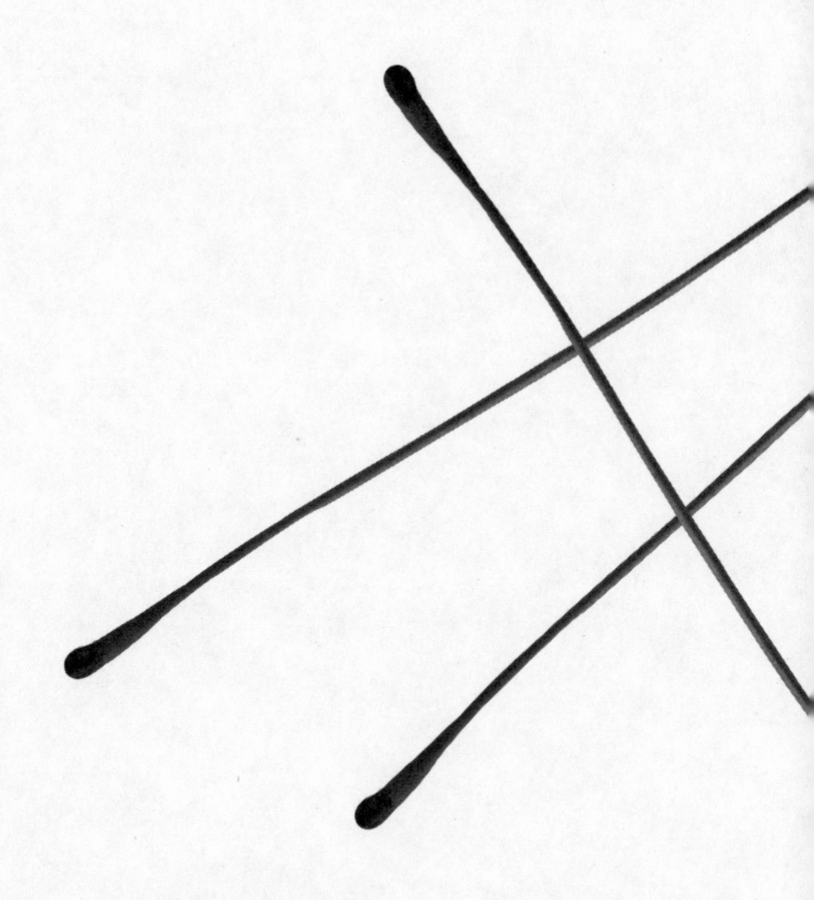

CRECIMIENTO PERSONAL

Los reveses de la vida muchas veces son una ocasión para cambiar. Si la intensidad de la experiencia es alta, su impacto puede producir una verdadera revolución interior en la manera de ver y percibir el mundo.

Sabiduría emocional

Los errores no te hacen mejor o peor, simplemente te curten.

Aprendiendo a quererse a sí mismo

Si despertaras a tus capacidades reales, te sorprenderías de lo que eres capaz.

Deshojando margaritas

Si no posees metas o son demasiado diminutas, tu ego será raquítico y frágil. Si no enfrentas los problemas y no peleas para alcanzar tus metas, tu ego morirá de inanición o se atrofiará. No lo dejarás crecer.

Aprendiendo a quererse a sí mismo

Dirigir la propia vida en lo que depende de uno (sentido, felicidad, autorrealización) y aceptarla tal cual es cuando no depende de uno (enfermedades, muerte, separación), intentando disminuir la cantidad de dolor que de por sí implica el mero hecho de estar vivo.

PENSAR BIEN, SENTIRSE BIEN

Si el pensamiento, la emoción y el comportamiento se oponen entre sí, tu actitud se asemejará a la de una veleta en la mitad del océano: sin norte y sometida a los caprichos del viento. La coherencia te permite tomar el timón, definir un punto de control interno y evitar los contrasentidos elementales.

PENSAR BIEN, SENTIRSE BIEN

El camino del crecimiento afectivo no está en cortarse una pierna para que el otro no sienta la cojera. Tampoco se trata de compartir la hipocondría para sentirse aliviado, sino curarla y erradicarla.

DESHOJANDO MARGARITAS

Si te atreves a enfrentar la soledad y la evaluación negativa, verás que, en el peor de los casos, no es tan grave. Más aun, hasta se abren puertas que tu inseguridad no había ensayado.

DESHOJANDO MARGARITAS

Amar no es anularse, sino crecer de a dos. Un crecimiento donde las individualidades, lejos de opacarse, se destacan.

AMAR O DEPENDER

Si no tienes claro qué falló en el pasado, seguirás de tumbo en tumbo.

AMA Y NO SUFRAS

Para aprender a caminar el niño debe caerse de vez en cuando.

CUESTIÓN DE DIGNIDAD

Hay veces en que la vida nos pone entre la espada y la pared y nos obliga a tomar una decisión crucial.

CUESTIÓN DE DIGNIDAD

Las reestructuraciones afectivas y las revoluciones interiores, cuando son reales, son dolorosas.

AMAR O DEPENDER

Las personas que se revisan a sí mismas y se actualizan viven mejor.

PENSAR BIEN, SENTIRSE BIEN

El sufrimiento es el principal impulsor del crecimiento psicológico personal. Aunque no nos guste, no se puede avanzar sin él; más aun, si lo evitamos, cerramos las puertas de la realidad interior.

SABIDURÍA EMOCIONAL

Date el gusto de equivocarte. Entrégate a la tentación de los yerros. Es el único pecado que Dios patrocina en persona. Si te equivocas, creces; si no te equivocas, te estancas.

AMAR O DEPENDER

Toda situación de estrés es una oportunidad para reestructurarse a sí mismo. Toda transformación real conlleva una dosis de malestar implícito.

SABIDURÍA EMOCIONAL

No acoses tanto en el amor y déjale el beneficio de la duda. Intentar no ser egoísta y entregarte sin miramientos es una meta loable, pero no hagas de ese objetivo un requisito obsesivo del amor, porque se convertirá en un suplicio.

DESHOJANDO MARGARITAS

Todas las tradiciones espirituales coinciden en que el hombre debe desocuparse del conocimiento para descubrir la verdad, lo otro, lo innombrable, lo intemporal, Dios, o como quieran llamarlo.

PENSAR BIEN, SENTIRSE BIEN

El "asombro filosófico" que acompaña los procesos de alta espiritualidad es precisamente la capacidad de ver las cosas como si fuera por primera vez, sin encasillarlas en esquemas previos.

DESHOJANDO MARGARITAS

ÉTICA
Y HONESTIDAD

La ética nos induce a pensar antes de actuar, a ser prudentes, a decidir sobre lo que está bien y lo que está mal de acuerdo con nuestros códigos y en relación con el mundo que habitamos.

PENSAR BIEN, SENTIRSE BIEN

Puedes sentir lo que se te dé la gana, si no violas los derechos de las otras personas, si no te hace daño y si eso te hace feliz.

APRENDIENDO A QUERERSE A SÍ MISMO

¿Y la moral? Ella nos dice cómo debemos comportarnos. Se refiere más al deber hacer, son los imperativos kantianos, es la normatividad sin excepciones, es aquello que garantiza la supervivencia de una sociedad que carece del suficiente amor y por lo tanto necesita de las normas de convivencia. La conducta moral responde a la pregunta: "¿Qué debo hacer?".

PENSAR BIEN, SENTIRSE BIEN

La ética exige una condición, sumamente importante: nuestros juicios deben ser recomendables para todos, es decir, debo imaginarme cómo sería el mundo si todos actuaran de acuerdo con mi manera de pensar.

PENSAR BIEN, SENTIRSE BIEN

Si estoy entrando en un proceso de desamor, me siento "alejado" o no estoy satisfecho con algún aspecto de la relación, tengo el deber de comunicarlo a tiempo, porque mi pareja tiene el derecho a saberlo.

CUESTIÓN DE DIGNIDAD

La ética es el conjunto reflexionado (pensado) de nuestros deseos. No se trata de anular nuestras apetencias y anhelos, sino de vivirlos conscientemente, sin culpa ni autocastigo.

PENSAR BIEN, SENTIRSE BIEN

Comportarse éticamente es hacerlo de una manera que pueda ser recomendada y justificada, teniendo a los demás como testigos y observadores.

PENSAR BIEN, SENTIRSE BIEN

Si no tenemos nada qué ocultar, la mente se aquieta y los subterfugios, los circunloquios y las indirectas no interfieren en la fluidez de la buena comunicación. Es en la elaboración de la mentira y el disimulo donde más tiempo y energía pierde el cerebro.

DESHOJANDO MARGARITAS

Respetar es tomar al otro en serio y, tomarlo en serio, es aceptar que tiene algo para decir que vale la pena escuchar.

PENSAR BIEN, SENTIRSE BIEN

A veces, el mayor respeto es la honestidad.

DESHOJANDO MARGARITAS

La moral ordena, la ética aconseja.

PENSAR BIEN, SENTIRSE BIEN

Más vale una pelea clara que un acuerdo confuso.

DESHOJANDO MARGARITAS

Cuando nuestro proceder comienza a transitar los terrenos de la ética, empezamos a sentir cierta paz interior. Tiene algo de pacificador ser coherente y obrar acorde con lo que uno piensa y siente.

PENSAR BIEN, SENTIRSE BIEN

¿Habrá mayor placer, mejor sensación de bienestar que hacer lo que consideramos justo y adecuado? Lo que va con uno naturalmente, lo que no genera violencia interior.

PENSAR BIEN, SENTIRSE BIEN

Ser ético es descentrarse y ponerse en los zapatos del otro.

PENSAR BIEN, SENTIRSE BIEN

La ética exige una condición sumamente importante: nuestros juicios deben ser recomendables para todos.

PENSAR BIEN, SENTIRSE BIEN

FIDELIDAD Y RESPETO

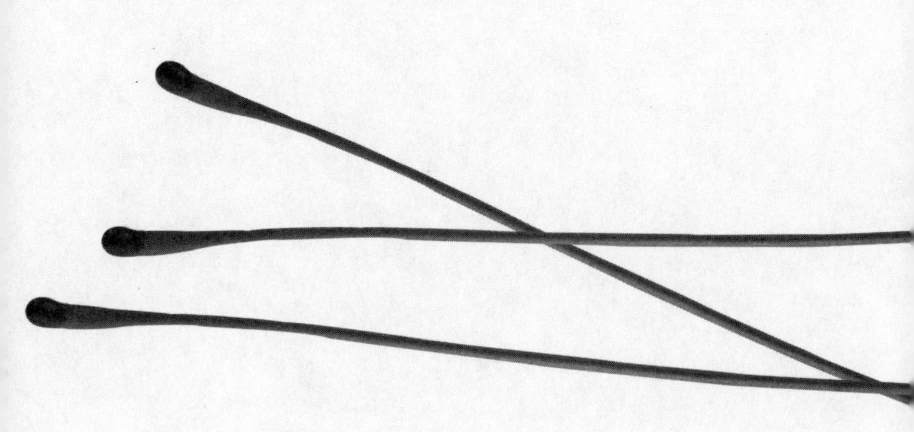

En ciertas ocasiones el amor parece procesarse en paralelo, y pese a la exigencia determinante de la otra parte a ser el único, el diablillo afectivo juega su mala pasada. El amor se bifurca y abre una nueva sucursal, la cual puede ser platónica o no.

DESHOJANDO MARGARITAS

Mucha gente no busca la aventura, la encuentra y sucumbe. No están preparados para enfrentarla porque nunca imaginaron que les podría pasar a ellos.

LA FIDELIDAD ES MUCHO MÁS QUE AMOR

Para ser infiel sólo se necesita bastante deseo y poco autocontrol.

DESHOJANDO MARGARITAS

El amor es condición necesaria, pero no suficiente para ser fiel. La fidelidad también es una decisión. Un acto de la voluntad que exige atención despierta y capacidad de discriminación para mantenerse alejado de lo que teóricamente no queremos hacer.

LA FIDELIDAD ES MUCHO MÁS QUE AMOR

La exclusividad afectiva es una determinación personal, más que un acto de conminación.

Deshojando margaritas

La insatisfacción es la prima hermana de la infidelidad.

La fidelidad es mucho más que amor

La evidencia disponible muestra que la fidelidad no significa imposibilidad de amar a dos personas al tiempo.

Deshojando margaritas

Si el deseo es mantenerse fiel a la pareja, hay que trabajar en ello desde el amor.

La fidelidad es mucho más que amor

La exclusividad con su pareja es una decisión, más que una imposición. "Piense qué quiere".

Deshojando margaritas

En las buenas parejas no cabe la infidelidad. No hay traición sino transparencia. Las relaciones que practican una fidelidad sana (es decir, no basada en el miedo, la obligación irracional o el sacrificio irresponsable) poseen la capacidad de flexibilizar el vínculo para adaptarse mejor a lo inesperado.

La fidelidad es mucho más que amor

No obstante el impedimento normativo que promulga el mandato ético, la gran capacidad de dar y recibir afecto en el ser humano transgrede la ley social. La osadía de los enamorados nos recuerda que en el amor no hay derechos de autor.

Deshojando margaritas

Cuando ya estamos con el amante hasta el cuello, es más fácil sacar un apéndice sin anestesia que eliminar la pasión. No llegamos a la fidelidad dejando de ser infieles, sino fortaleciendo los aspectos que nos mantienen unidos a la pareja.

La fidelidad es mucho más que amor

Hay cosas primordiales a las cuales no podemos renunciar porque son imprescindibles para la supervivencia psicológica; y, aunque no las hagamos explícitas, damos por sentado que deben existir para que la relación afectiva siga su curso. Si soy fiel, espero fidelidad; si soy honesto, espero honestidad; si soy cariñoso, espero ternura. De no ser así, no me interesa.

AMAR O DEPENDER

Para mí, la fidelidad es una combinación de autocontrol y principios y no, como han querido hacernos creer algunos moralistas, ausencia de deseos y sentimientos. La fidelidad no es otra cosa que saber anticipar y evitar.

DESHOJANDO MARGARITAS

La infidelidad, aunque no se vea, se siente.

LA FIDELIDAD ES MUCHO MÁS QUE AMOR

Respetar el amor es cortar los barrotes de virtudes, valores y aspiraciones marcadas por el deseo personal-cultural y dejarlo tranquilo, en libertad, para que aprendamos a conocerlo mejor y a convivir con él.

DESHOJANDO MARGARITAS

Los que quieren ser fieles de corazón, mezclan amor, convicción y compromiso en proporciones alarmantes, pero sin alimentar quimeras. Son realistas de línea dura y blandengues de corazón: una combinación digna de respetar y deliciosa de practicar.

LA FIDELIDAD ES MUCHO MÁS QUE AMOR

Ten en cuenta que hay cosas en la vida que no se piden. Nadie tiene el deber de amarnos. Respetar los derechos afectivos de las otras personas es asimilar el riesgo de no ser correspondido.

DESHOJANDO MARGARITAS

Respetarte es saber leer tus "no", tus inseguridades, reconocerlas de manera horizontal y no vertical, hacerlas mías sin contagiarme. Es ser exacto y cuidadoso en mis aproximaciones para no aplastarte con mi ego, ni lastimarte con mi indiferencia. Amarte es ablandar el corazón.

AMA Y NO SUFRAS

Ejercer control afectivo, con el fin de verificar que todo está bien, es no confiar en la pareja. "Si la dejo sola estará corriendo riesgos, porque ella es muy frágil, débil, sugestionable, impresionable, insegura", y cosas por el estilo. Si necesito pensar por mi pareja para estar tranquilo, fallo en el principal precepto del amor: el respeto.

DESHOJANDO MARGARITAS

La tolerancia bien entendida, más que soportar, se refiere a respetar. Tolerar no es padecer a los otros como una carga, sino aceptar y proteger el derecho a la discrepancia.

CUESTIÓN DE DIGNIDAD

La subestimación es el lugar donde germina el irrespeto.

DESHOJANDO MARGARITAS

¿El respeto es un valor para ti? Si realmente lo es, consérvalo. Si lo has perdido, recupéralo. Si nunca lo has tenido, constrúyelo. El respeto dignifica, promueve el entendimiento y permite que el amor evolucione.

DESHOJANDO MARGARITAS

LIBERTAD
Y ENTUSIASMO

La libertad interior no es otra cosa que carencia de necesidades. Si nada necesito, por definición, no hay conflicto, porque hay desapego interior.

DESHOJANDO MARGARITAS

No podemos vivir sin afecto, nadie puede hacerlo, pero sí podemos amar sin esclavizarnos. El desapego no es más que una elección que dice a gritos: el amor es ausencia de miedo.

AMAR O DEPENDER

El arte sólo puede atraparse con los sentidos. Es la *áisthesis*, la estética captada por la sensación. Usted no puede hacerla suya y capturarla completamente si la somete a la razón. Hay que dejar que ella se exprese con libertad para que la podamos captar en toda su grandeza. A veces, la capacidad de análisis nos impide sentir y ver con todo el cuerpo: ¡VER!...

AMOR, DIVINA LOCURA

A veces la locura, como la llaman los eruditos, es más noble que la cordura y fuente de energía divina.

AMOR, DIVINA LOCURA

¿Cuánto hace que no te descomplicas y dejas que las cosas sigan su curso natural? Comienza por aprender a delegar en tu pareja. Deja que ella sea libre y ejerza el derecho de equivocarse. Más aun, ¡equivócate!

DESHOJANDO MARGARITAS

Si no es dañino para ti ni para nadie, puedes hacer lo que quieras. Incluso ser feliz.

AMAR O DEPENDER

Enthéos thymós: ENTUSIASMO: *sentir la fuerza de Dios en el pecho*. La ira de Dios, la cólera sana que mueve el universo. Ésta es la locura que no es demencia, la que puedes usar cuando quieras, la que te pertenece, la que no se debe curar y sobre la que se han montado los actos más dignos de la humanidad.

AMOR, DIVINA LOCURA

Pienso que una de las palabras más desagradables es "obligación", porque nada es más contrario a la libertad que estar "obligado".

Deshojando margaritas

Haz una lista de las luchas que no consideras tuyas, de las que no te convienen, de las que estás cansado de insistir e insistir. Asume con pasión y amor lo que verdaderamente quieras llevar adelante y desecha esos viejos encartes que te asignaron con o sin tu consentimiento. Notarás que el mañana dejará de ser una carga impositiva.

Sabiduría emocional

Hay una manía benigna con la cual nos inspiramos y nos purificamos, donde las musas y el erotismo hacen su entrada. Hay algo sublime en sentirse poseído por los dioses.

Amor, divina locura

Podemos decidir, no estamos determinados biológicamente para asesinar o hacer la guerra, no hay una tendencia que nos lleve inexorablemente a eliminar al otro, no al menos en el hombre que posee la capacidad de conocerse a sí mismo. Puedo elegir si voy a lastimar o no, soy responsable de mis actos.

CUESTIÓN DE DIGNIDAD

Las mejores cosas de la vida suelen ocurrir cuando no esperamos nada. La vida nos proporciona infinidad de oportunidades para actuar sin el resultado a cuestas. Sembrar árboles sin esperar frutos, jugar como a uno le dé la gana, danzar sin reglas, reír por reír y correr por correr.

SABIDURÍA EMOCIONAL

La soledad impuesta es desolación, la elegida es liberación.

AMAR O DEPENDER

Cuando expreso lo que pienso y siento, libero la mente y sano mi cuerpo.

CUESTIÓN DE DIGNIDAD

¿No habrá una forma de ver más allá de lo inmediato y de sentir con toda la pasión disponible, sin ser catalogado de loco?

AMOR, DIVINA LOCURA

Desde Espartaco hasta Mandela, la historia de la humanidad podría resumirse como una lucha constante y persistente para obtener la independencia añorada, cualquiera que ella sea.

AMAR O DEPENDER

Una rápida mirada a las personas que han hecho la historia de la humanidad muestra que cierta inestabilidad e insatisfacción son condiciones imprescindibles para vivir intensamente. La estabilidad absoluta no existe. Es un invento de los que temen al cambio. La famosa "madurez", tomada al pie de la letra, es el preludio de la descomposición. Ceñirte ciegamente a los estándares propios o externos es coartar tu libertad de pensar.

APRENDIENDO A QUERERSE A SÍ MISMO

Hay una forma de desvarío que no es enfermedad y no va en detrimento del que la lleva, una forma de exaltación e inspiración sagrada que hace las grandes obras de la humanidad.

AMOR, DIVINA LOCURA

El arte no se inventa, se descubre. Está disponible para que de tanto rasgar la realidad, lo encontremos. Es una manifestación de la divinidad que se proclama a través de lo humano. Somos la excusa para que los dioses hablen.

AMOR, DIVINA LOCURA

El talento natural es una capacidad guiada por la pasión, que estalla desde adentro. Todos la poseemos, todos podemos alcanzarla, todos estamos diseñados para desarrollar nuestra capacidad creativa, si nos dejan y tenemos el coraje para hacerlo.

AMAR O DEPENDER

No puedes ser demasiado "estable" o demasiado "estructurado". Necesitas una pizca de cordura (por no decir locura).

APRENDIENDO A QUERERSE A SÍ MISMO

No importa hacia qué, la pasión es darle sentido a la vida, es crear un sentimiento de alto grado de fuerza y vigor, es vibrar con energía.

APRENDIENDO A QUERERSE A SÍ MISMO

Ser ineficiente de vez en cuando produce una sensación sana de rebeldía.

DESHOJANDO MARGARITAS

Si llega como un regalo del cielo, la locura es el canal por el cual recibimos las más grandes bendiciones.

AMOR, DIVINA LOCURA

Aquietar la mente es mucho más que meditar. El sosiego de la actividad mental requiere de un cambio más profundo y global que interrumpir de vez en cuando el pensamiento. El verdadero revolcón está en producir una calidad de mente que no solamente se libere a ratos, sino que adquiera un estilo permanente, una manera de ser que le permita andar más despacio, recordar información relevante y anticipar lo indispensable, pero nada más.

SABIDURÍA EMOCIONAL

PERDÓN

Perdonar no es absolver. No implica borrar la falta como por arte de magia o hacerla a un lado como si nada hubiera pasado. El hecho queda registrado en la historia y por tal razón el pasado siempre está vivo de alguna manera en la memoria. La absolución total y radical sólo existe en la ilusión de lo sobrenatural, en la visión teológica y religiosa: "Yo te absuelvo" ¿Quién tiene el poder de desvanecer la falta?

PENSAR BIEN, SENTIRSE BIEN

Perdonar no es olvidar. El perdón no es amnesia, entre otras cosas porque no sería adaptativo borrar al infractor de nuestra base de datos y quedar por ingenuidad en riesgo de un nuevo ataque.

PENSAR BIEN, SENTIRSE BIEN

Todo el proceso que lleva al perdón debe quedar limpio de superioridad respecto del que solicita el perdón.

PENSAR BIEN, SENTIRSE BIEN

La compasión es una virtud afectiva donde las razones sobran. Cuando se manifiesta, el dolor del otro puede transformarse a sí mismo en perdón.

PENSAR BIEN, SENTIRSE BIEN

Si hay amor, hay perdón. Si amamos a nuestra pareja la perdonamos; si nos amamos a nosotros mismos nos perdonamos. Si no hay perdón, algo le está pasando al amor.

SABIDURÍA EMOCIONAL

Perdonar no es otorgar clemencia, porque no ejercemos la función de jueces, al menos en la vida normal de relación. No somos quiénes para decidir el tipo de castigo o su intensidad. Se puede odiar sin agredir y se puede castigar sin odiar, como hacen muchos educadores.

PENSAR BIEN, SENTIRSE BIEN

Perdonar no es sentir compasión. La compasión te solidariza con el dolor de la víctima, es una "virtud afectiva", se trata de sensibilidad, de solidaridad emocional o de contagio, ya que el dolor ajeno nos toca o se refleja a través nuestro.

PENSAR BIEN, SENTIRSE BIEN

Perdonar es no odiar, es extinguir el rencor y los deseos de venganza. Es negarse a que el resentimiento siga echando raíces.

PENSAR BIEN, SENTIRSE BIEN

El error se disculpa, pero la maldad requiere un proceso mucho más complejo que la simple excusa: el perdón. Perdonar es recordar sin odio, es hacerle el duelo al rencor, por eso tiene que ver con el amor.

AMA Y NO SUFRAS

Solamente la persona ofendida es quien tiene el derecho a perdonar. Ése es el privilegio de la víctima. El perdón es algo personal, en él sólo intervienen los involucrados directos.

PENSAR BIEN, SENTIRSE BIEN

El perdón requiere tiempo. El perdón fácil es sospechoso.

PENSAR BIEN, SENTIRSE BIEN

¿Cuánto dura el proceso de perdonar? Nadie sabe. Pero sí sabemos que no es inmediato. Hay que sopesar muchas cosas, hay que pensar razones y darle razones al corazón para que decida.

PENSAR BIEN, SENTIRSE BIEN

¿Debe arrepentirse el ofensor para que haya perdón? No creo. El arrepentimiento facilita el perdón, sin lugar a dudas, pero no es una condición necesaria y suficiente. Condicionar el perdón al arrepentimiento es asumir una estructura autoritaria del perdón, es la filosofía del tener, más que del ser.

PENSAR BIEN, SENTIRSE BIEN

El perdón es un regalo que se hace a los demás y a uno mismo con el fin de aliviar la carga del resentimiento o de la culpa: es un descanso merecido para el corazón.

CUESTIÓN DE DIGNIDAD

Perdonar es aliviar la carga que me causa el rencor, es dejar mi corazón libre para que vuelva nuevamente a creer y/o amar, es volver al cause natural.

PENSAR BIEN, SENTIRSE BIEN

Hay ocasiones en que el desgaste que genera el rencor es tal, que la persona decide perdonar como un acto de supervivencia: "Me cansé de odiar". No hay amor, ni compasión, ni comprensión, sólo cansancio esencial que se revierte sobre sí mismo: odiar el odio.

PENSAR BIEN, SENTIRSE BIEN

Con o sin arrepentimiento, con o sin requerimiento del trasgresor, el perdón siempre es un proceso personal.

PENSAR BIEN, SENTIRSE BIEN

El perdón es una manera de lavar el alma y la mente. Es purificar el mundo interior.

SABIDURÍA EMOCIONAL

Tener un esquema positivo sobre el perdón implica estar dispuesto a no dejarse llevar tan fácilmente por el odio y a intentar terminar con el rencor, si ya está instalado. Si asumes que el perdón es un valor, si lo internalizas como una virtud, podrás cultivarlo y relacionarte mejor y más sanamente.

PENSAR BIEN, SENTIRSE BIEN

No odiar no es dejar de combatir, sino enfrentar la situación de manera serena. ¿Puedo pelear o defenderme de mis enemigos sin odiarlos? Pienso que sí. De eso se trata el perdón. No es abdicar a la justicia sino ejercerla sin rencor, sin ira, sin aberraciones violentas: "Perdono, pero exijo justicia", no por rencor, sino por principio.

PENSAR BIEN, SENTIRSE BIEN

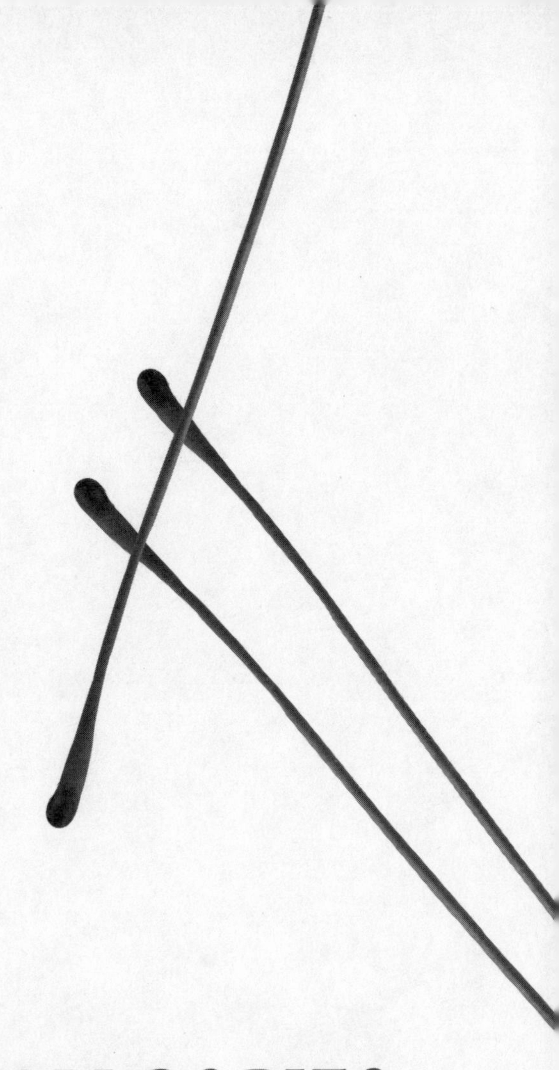

VIVIR CON LOS PIES EN LA TIERRA: PENSAMIENTO RACIONAL

Puedes liberarte de las trampas de la mente y crear un nuevo mundo de racionalidad, donde la emoción esté incluida. Un pensamiento razonable y razonado que te lleve a crear un ambiente motivador donde vivas mejor y en paz contigo mismo.

PENSAR BIEN, SENTIRSE BIEN

Si pensáramos mejor, actuaríamos mejor.

PENSAR BIEN, SENTIRSE BIEN

¿Racionalizar el amor? Así es, no demasiado, solamente lo necesario para no intoxicarnos. Amor deseado (principio del placer) y amor *pensado* (principio de realidad), lo uno y lo otro, razón y emoción en cantidades adecuadas.

AMA Y NO SUFRAS

La vivacidad del instinto nos despersonaliza y nos arroja por fuera de la razón.

AMA Y NO SUFRAS

Tu mente nunca está silenciosa. Si el parloteo es negativo te sentirás mal, si es positivo, te sentirás bien, por eso lo que propongo no es acallar la mente, sino encauzarla. Discutir, cuestionar, establecer una disputa amistosa en la que no tragues entero y dejes a un lado el autoengaño o el convencimiento superficial.

PENSAR BIEN, SENTIRSE BIEN

Tenemos a nuestra disposición las herramientas para gestar nuestra propia revolución psicológica y hacer del pensamiento un elemento liberador. La transformación está en tus manos.

PENSAR BIEN, SENTIRSE BIEN

Las ideas que profesamos sobre lo que es amar parecen estar sustentadas más en una expresión de deseo que en hechos consumados.

DESHOJANDO MARGARITAS

Cada quien debe configurar su propia filosofía del buen vivir de manera consciente y explícita. Pensarse a sí mismo en relación con su propio proyecto de vida: ¿Qué quiero?, ¿Qué necesito?, ¿Cómo he de vivir?, ¿Qué es negociable y qué no lo es? Preguntas existenciales, éticas y motivacionales.

PENSAR BIEN, SENTIRSE BIEN

El principio del placer se disfraza a menudo de convicción. *Eros* te otorga el don del placer, pero te quita inteligencia y racionalidad.

AMA Y NO SUFRAS

Puedes amar apasionadamente a tu pareja, emocionarte ante un esplendoroso amanecer, sentir compasión por un niño enfermo y, sin embargo, mantenerte fiel a la razón.

PENSAR BIEN, SENTIRSE BIEN

Pensar bien implica dirigir la preocupación a lo que de verdad vale la pena.

PENSAR BIEN, SENTIRSE BIEN

Hay que ser muy valiente para destapar nuestro interior y ver descarnadamente qué sentimos por la pareja y la humanidad, qué tan utilitaristas somos y qué tan puro es el amor que profesamos a boca llena.

DESHOJANDO MARGARITAS

Ser una persona racional no significa excluir el afecto de tu vida sino integrarlo de manera razonada y razonable. Examinar de manera inteligente lo que piensas y sientes, tomar conciencia de ti mismo, de tus contradicciones, de tu irracionalidad enmascarada.

PENSAR BIEN, SENTIRSE BIEN

Asumir una actitud realista en el amor no implica perder el asombro, ni la sensibilidad frente a la propia vida interior. Por el contrario, es conjugar la belleza del más grande de los acontecimientos, con una alta dosis de inteligencia. El amor ignorante, además de soberbio, es peligroso.

DESHOJANDO MARGARITAS

Eros trasciende lo cognitivo, lo razonable, los "debería" y muchas veces nos pone en situaciones que no logramos comprender.

AMA Y NO SUFRAS

Pensar bien es razonar bien, y para razonar bien hay que ser preciso.

PENSAR BIEN, SENTIRSE BIEN

La mejor manera de poner a tambalear un esquema negativo y comenzar a desprenderse de él, es concentrar la atención en todos los aspectos de la realidad que nos rodea.

PENSAR BIEN, SENTIRSE BIEN

Las grandes revoluciones siempre exigen atención despierta.

AMAR O DEPENDER

Tenemos el don de la razón, de la reflexión autodirigida, de la auto-observación, de pensar sobre lo que pensamos. Somos capaces de darnos cuenta de los errores y desaprender lo que aprendimos.

PENSAR BIEN, SENTIRSE BIEN

Aunque la felicidad no dependa directamente de la razón, cuando pensamos bien y somos capaces de fundamentar inteligentemente nuestras acciones, un dejo de tranquilidad asoma. Es la alegría que potencia el ser, es la sensación de que estamos obrando a conciencia.

PENSAR BIEN, SENTIRSE BIEN

El universo no necesita que dejemos de pensar, sino que lo hagamos correctamente.

SABIDURÍA EMOCIONAL

La realidad parece mostrarnos algo: la naturaleza del amor interpersonal es conflictiva (felicidad relativa), el amor se acaba (si no se trabaja se atrofia), se puede amar a más de una persona a la vez (no es totalmente excluyente) y el amor suele desertar ante condiciones adversas (solidaridad relativa).

DESHOJANDO MARGARITAS

Es saludable hacer un alto, quedarse unos instantes en la incertidumbre y aceptar la información contradictoria. Cabeza fría y dudar de la intuición. Enfriar el sistema. De una anécdota no puede inferirse una ley general.

PENSAR BIEN, SENTIRSE BIEN

Si limpiáramos lo que más pudiéramos nuestra mente de falsas esperanzas, expectativas, imágenes, recuerdos y cuentos de hadas, podríamos establecer una conexión directa con el amor y sentir su verdadera fuerza.

DESHOJANDO MARGARITAS

Pensar es mejor que tener pensamientos.

PENSAR BIEN, SENTIRSE BIEN

Los cuatro supuestos o creencias erróneas que, aun habiendo sido víctimas de ellas, inexplicablemente las seguimos transmitiendo de generación en generación son: el amor es dicha y placer (la felicidad del amor), el amor es para siempre (la inagotabilidad del amor), el amor es excluyente (la exclusividad del amor) y el amor todo lo puede (la incondicionalidad del amor).

DESHOJANDO MARGARITAS

El principal recurso para atacar los pensamientos negativos es la disputa verbal, que implica poner en duda el pensamiento negativo y luego reemplazarlo por otro más aterrizado, racional o adaptativo.

PENSAR BIEN, SENTIRSE BIEN

Cuando buscas activamente la evidencia que sustenta un pensamiento, estás teniendo una actitud valiente y no sumisa frente a la mente. Si haces del debate basado en la evidencia una costumbre, un número considerable de malos pensamientos dejarán de molestarte. Ningún esquema o creencia puede convencerte sin tu consentimiento.

PENSAR BIEN, SENTIRSE BIEN

En toda comunicación existe la tendencia natural a distorsionar la información a favor de las ideas existentes (ciertas o no) y a desconocer (olvidar, negar) aquella información que no es congruente con los esquemas previos. Realmente sólo percibimos lo que nos conviene.

DESHOJANDO MARGARITAS

Lo que coincide con nuestras expectativas lo dejamos pasar y lo recibimos con beneplácito, lo que es incongruente con nuestras creencias o estereotipos lo ignoramos, lo consideramos "sospechoso" o simplemente lo alteramos para que concuerde con nuestras ideas preconcebidas.

PENSAR BIEN, SENTIRSE BIEN

Tenemos a nuestra disposición las herramientas para gestar nuestra propia revolución psicológica y hacer del pensamiento un elemento liberador. La transformación está en tus manos.

PENSAR BIEN, SENTIRSE BIEN

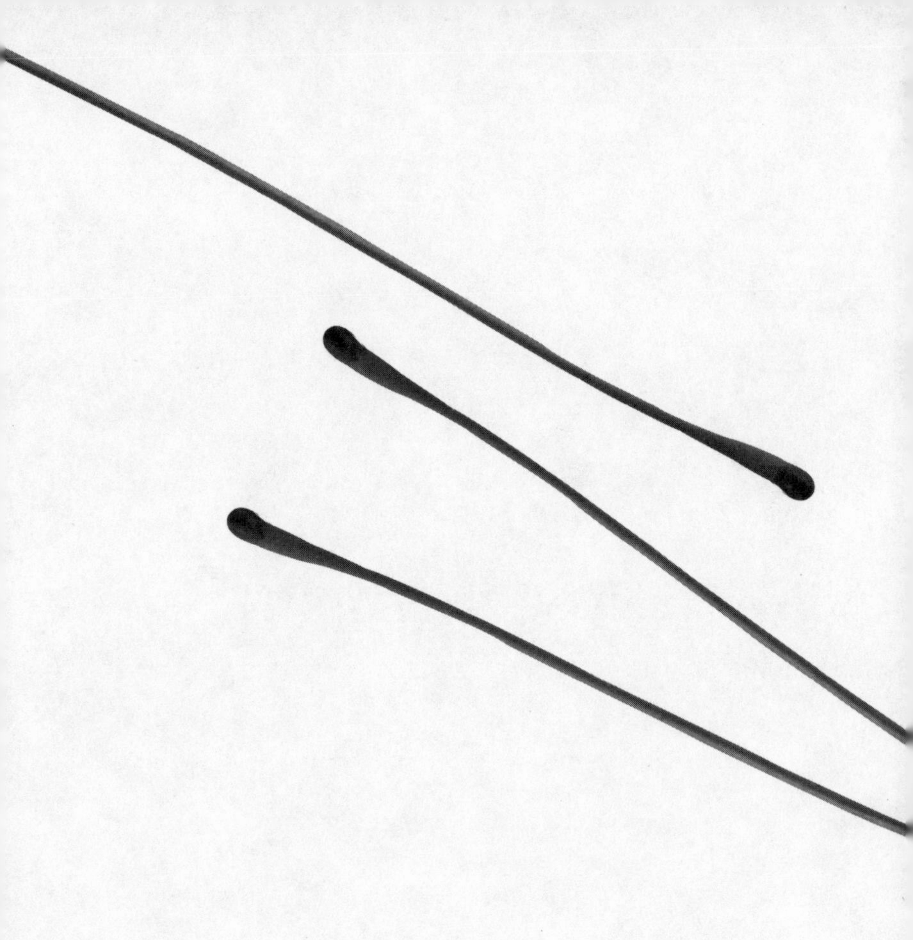

SER O TENER: CAMINO A LA SABIDURÍA

Nos guste o no, en el ser humano existe una profunda exigencia de sentido, un anhelo por lo genuino y por lo no contaminado que nos permita ser verdaderamente libres. Es el requerimiento de la autorrealización.

PENSAR BIEN, SENTIRSE BIEN

El modo del ser se diferencia del modo del tener en que el primero nos hace crecer porque está a favor de la vida y la vivacidad, mientras que el segundo está al servicio del egocentrismo, del Narciso que llevamos dentro, de la esterilidad, del "yo" acaparador, de la posesión y la codicia.

PENSAR BIEN, SENTIRSE BIEN

Cuando estamos en el modo del ser, no competimos, no necesitamos mostrar ningún récord ni pavonearnos con nada; hay alegría esencial, hay una forma de satisfacción que se basta a sí misma: somos auténticos.

PENSAR BIEN, SENTIRSE BIEN

Si estoy dispuesto a renunciar a lo que me pertenece en cualquier momento, si no me igualo egoístamente con mis posesiones, entonces el tener no se contradice con el ser.

PENSAR BIEN, SENTIRSE BIEN

Ser coherente internamente es pensar, actuar y sentir para un mismo lado. Los tres niveles de respuesta manifestándose de manera solidaria y conjunta. Mente y cuerpo unidos, sin dualismos, con muy pocas dudas, para que la armonía no se disperse en contradicciones fundamentales. Mente y corazón orientados hacia un mismo fin.

PENSAR BIEN, SENTIRSE BIEN

La imagen psicológica que proyectamos, aunque suene a retórica, es el reflejo de lo que somos por dentro. Si nos sentimos bien con nosotros mismos, seremos auténticos y asertivos, no habrá nada de qué avergonzarnos ni nada qué esconder. Una persona que se siente digna no es intachable, sino transparente; no busca aparentar, sino ser.

CUESTIÓN DE DIGNIDAD

Ser coherente no es fácil. La paradoja y el contrasentido es parte esencial del hombre que se construye a sí mismo. Las “contradicciones internas” nos han acompañado siempre, al igual que la lucha por superarlas.

PENSAR BIEN, SENTIRSE BIEN

Llevamos dentro la semilla que sólo puede ser activada por otro ser que se realiza en la medida en que nos ayuda a ser.

PENSAR BIEN, SENTIRSE BIEN

Los sesgos perceptivos te hacen ver lo que no es. Te obligan a llegar a conclusiones equivocadas donde tú eres el centro de todo. Es verdad que no hay percepción totalmente descontaminada, pero de todas maneras hay que intentar viciarla lo menos posible.

PENSAR BIEN, SENTIRSE BIEN

La gente no vale por la posición que adquiere en la sociedad. De ser así, los ricos, los famosos y los políticos serían "mejores" que la gente común y corriente.

Pensar bien, sentirse bien

Las personas no valen por lo que tienen sino por lo que son.

Pensar bien, sentirse bien

En algún momento de la evolución perdimos el rumbo. En algún punto nos estancamos e hicimos de la mente un fin y no un medio para continuar nuestro progreso espiritual. La psiquis humana no quiso desaparecer e inventó el ego. La estructura mental inventó lo biológico y trasladó mecánicamente a su mundo psicológico lo que solamente era pertinente a su mundo material.

Amor, divina locura

Nunca entendí a los que se sienten "orgullosos" de su patrimonio económico y menos aun a los que felicitan a los otros por lo que tienen: "¡Te felicito por tu automóvil!", "¡Te felicito, tu reloj está hermoso!" ¿Habrá estupidez mayor?

PENSAR BIEN, SENTIRSE BIEN

Elogiamos más fácil los muebles y la ropa de alguien que su inteligencia o su bondad.

PENSAR BIEN, SENTIRSE BIEN

Piensa un momento: ¿cuántas cosas te sobran?, ¿Cuántas tienes de más?, ¿A cuántas te apegas sin sentido? Es en las situaciones límite, como en el caso de una enfermedad grave, un exilio forzoso, una guerra, la pérdida de un ser querido o una quiebra económica, cuando realmente caemos en cuenta de que muchas de las cosas que defendíamos a capa y espada de nada sirven en la vida.

PENSAR BIEN, SENTIRSE BIEN

Al menos en teoría, no es incompatible erudición con sabiduría, pero la experiencia demuestra que cuanto más se acerca la gente a la sabiduría, más se aleja de la erudición, o la necesita menos.

PENSAR BIEN, SENTIRSE BIEN

La sabiduría es un conocimiento vasto, fundamental: se trata de cómo vivir mejor, estando bien con uno mismo y con los demás. No tiene pretensiones académicas, no busca portadas ni aplausos, sólo tranquilidad.

PENSAR BIEN, SENTIRSE BIEN

Habitar lo real, existir en el contexto; ésa es la fuente del saber que llamamos sabiduría.

PENSAR BIEN, SENTIRSE BIEN

El conocimiento te instruye, la sabiduría te transforma.

PENSAR BIEN, SENTIRSE BIEN

Obtener es una cosa y ser es otra.

PENSAR BIEN, SENTIRSE BIEN

El santo no sabe que es santo, el sabio no sabe que es sabio, no saber que sé me aproxima a la sabiduría.

PENSAR BIEN, SENTIRSE BIEN

El sumiso siempre espera obtener algo, la paciencia que llega de la sabiduría no espera nada.

SABIDURÍA EMOCIONAL

Jamás podría hacerse una "reunión anual de sabiduría" porque si alguien asistiera al evento no sería sabio.

PENSAR BIEN, SENTIRSE BIEN

El garbo más impactante es sin duda el de la sencillez: llevar orgullosamente la propia humanidad, sin pregonarlo. No hay nada más atractivo que una persona tranquila consigo misma. La condición de ser sencillo es quizás la más grande de las virtudes, pero no es cultivable. La sola idea de querer serlo obstaculiza su logro.

DESHOJANDO MARGARITAS

La mayor sabiduría es tomar conciencia del propio déficit. Es la "alegría de conocer" y de vivir pese a nuestras limitaciones. El sabio lo sabe y lo acepta. Nadie tiene comprado el futuro.

PENSAR BIEN, SENTIRSE BIEN

¿Hay recetas para alcanzar la sabiduría? No creo. Pero la mejor manera de acercarse un poco a ella es por la negativa. El sabio no compite, no se apresura, no habla demasiado ni es enredado al decir las cosas, no anula el sentimiento, no se subyuga ante los aplausos, no se incomoda por la crítica, no es indiferente a la vida y no se las sabe todas.

PENSAR BIEN, SENTIRSE BIEN

El sabio no espera nada, pero no porque ya lo tenga todo, sino porque no teme perder nada.

PENSAR BIEN, SENTIRSE BIEN

Un aspecto importante de la sabiduría, tal como nos lo enseñaron los estoicos, es precisamente aprender a discernir cuándo se justifica y cuándo no, cuándo hay que insistir y cuándo hay que abandonar el campo de batalla; lo que no significa cobardía, sino prudencia.

PENSAR BIEN, SENTIRSE BIEN

Si la experiencia te sacude y te lleva a revisar tus paradigmas y a cuestionarte desde lo más profundo, ese conocimiento es transformador; entonces, ya no eres el mismo.

PENSAR BIEN, SENTIRSE BIEN

No importa hacia qué, la pasión es darle sentido a la vida, es crear un sentimiento de alto grado de fuerza y vigor, es vibrar con energía.

APRENDIENDO A QUERERSE A SÍ MISMO

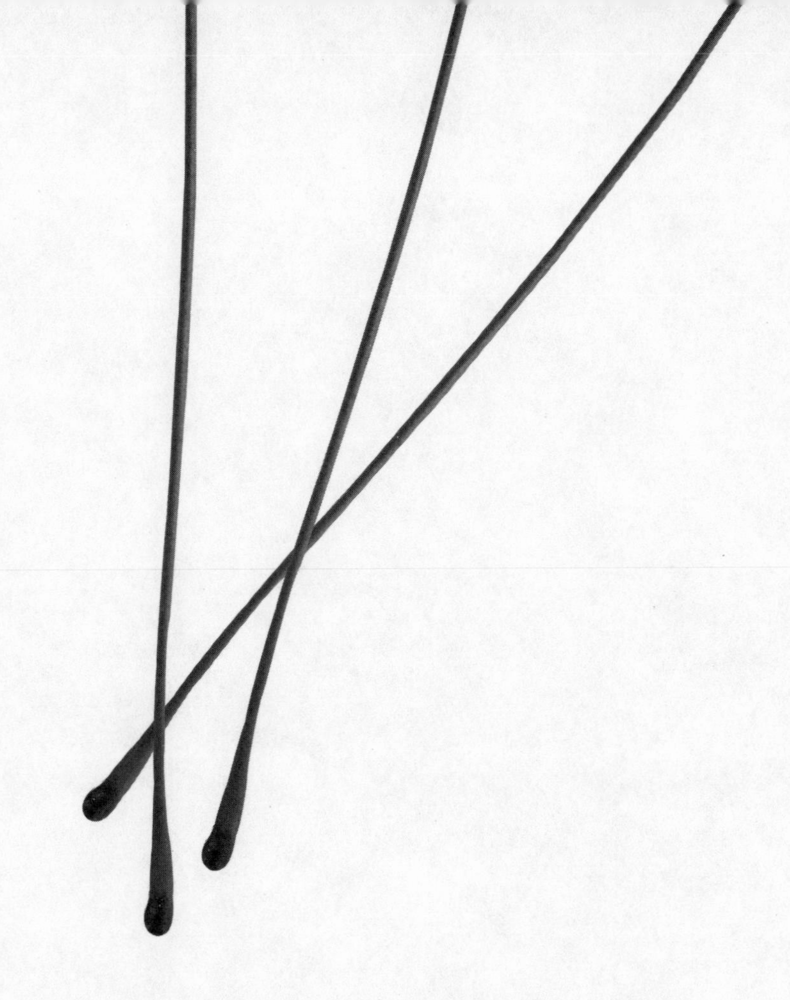

HACER FRENTE A LAS EMOCIONES DESTRUCTIVAS

La persona sola sufre de retraimiento, incomunicación o de exclusión afectiva, por eso, hallar a alguien es una manera de aliviar la angustia.

AMA Y NO SUFRAS

El amor no se busca, se encuentra. Pero también es cierto que a veces pasa por nuestras narices y no lo vemos. El miedo, las inseguridades, los mitos, la depresión y el estrés han creado una ceguera ante el amor.

DESHOJANDO MARGARITAS

Amputar la creatividad de la persona que se "ama" es la estrategia de los inseguros.

AMAR O DEPENDER

El amor es el antídoto principal contra el rencor y el odio.

CUESTIÓN DE DIGNIDAD

Los hombres y las mujeres sufren de celos por razones diferentes: los varones se preocupan más por la infidelidad sexual, mientras las mujeres lo hacen más por la infidelidad emocional.

AMA Y NO SUFRAS

La génesis del vínculo afectivo humano conlleva el germen de su propio sufrimiento. Hay que pelear contra él, pero sin falsas ilusiones.

DESHOJANDO MARGARITAS

Haz exactamente lo que temes. No esperes que la situación llegue, provócala. Llama al miedo. Rétala. Cuando algún evento te produzca temor, míralo como una ocasión para fortalecer tu coraje. Ésa es la clave.

AMAR O DEPENDER

Afrontar el miedo no significa cerrar los ojos y tirarse al abismo, sino abrirlos bien.

AMA Y NO SUFRAS

Para amar sin miedo a quedarte solo, debes revisar por qué te sientes desvalido. Si quieres amar de verdad y desinteresadamente, debes comenzar por afrontar el deprimente miedo al abandono.

DESHOJANDO MARGARITAS

La novedad produce dos emociones encontradas: miedo y curiosidad. Mientras el miedo a lo desconocido actúa como un freno, la curiosidad obra como un incentivo (a veces irrefrenable) que nos lleva a explorar el mundo y a asombrarnos.

PENSAR BIEN, SENTIRSE BIEN

La fuerza del miedo puede más que la razón, cuando el primero es intenso.

DESHOJANDO MARGARITA

"Ama y haz lo que quieras", menos enloquecerte; menos sufrir innecesariamente.

AMA Y NO SUFRAS

Si evitas, puede que a corto plazo sientas alivio, pero a mediano o largo plazo sólo robustecerás los esquemas responsables del sufrimiento. ¿Qué prefieres?

PENSAR BIEN, SENTIRSE BIEN

Eros es conflictivo y dual por naturaleza, nos eleva al cielo y nos baja al infierno en un instante. Es el amor que duele, el que se relaciona con la locura y la incapacidad de controlarse.

AMA Y NO SUFRAS

La postergación es la excusa de los inseguros.

DESHOJANDO MARGARITAS

Cada vez que agachamos la cabeza, nos sometemos o accedemos a peticiones irracionales, le damos un duro golpe a la autoestima: nos flagelamos. Nos queda el sinsabor de la derrota, la vergüenza de haber traspasado la barrera del pundonor, la autoculpa de ser un traidor de las propias causas.

CUESTIÓN DE DIGNIDAD

Sólo en la presencia activa e interrelacionada del deseo, la amistad y la compasión, el amor se realiza. El amor incompleto duele y enferma.

AMA Y NO SUFRAS

Los celos siempre son miedo.

DESHOJANDO MARGARITAS

Los sumisos atraen a los abusivos como el polen a las abejas.

CUESTIÓN DE DIGNIDAD

Vivir en la indiferencia con alguien a quien no consideramos amigable puede ser tan cruel y doloroso como ser golpeado.

AMA Y NO SUFRAS

El dolor mental (sufrimiento) se produce precisamente cuando "inventamos" algunas necesidades psicológicas (v.g. apego, posesión, envidia, aprobación).

DESHOJANDO MARGARITAS

El dolor nos empuja hacia adentro y nos aísla del mundo, mientras el placer nos expande hacia afuera y nos vuelve indolentes.

AMA Y NO SUFRAS

¿Quién no se ha mirado alguna vez al espejo tratando de perdonarse el servilismo, o el no haber dicho lo que en verdad pensaba? ¿Quién no ha sentido, así sea de vez en cuando, la lucha interior entre la indignación por el agravio y el miedo a enfrentarlo?

CUESTIÓN DE DIGNIDAD

Aprender a ver el amor como realmente es desarrolla inmunidad al sufrimiento, alta tolerancia a la frustración, mejora la toma de decisiones y la resolución de problemas.

DESHOJANDO MARGARITAS

Tenemos tanto miedo de ser "malos" que preferimos ser "buenas víctimas", dolientes formales, mártires felices, antes de correr el riesgo de equivocarnos.

CUESTIÓN DE DIGNIDAD

Es absurdo que te niegues el amor por miedo a sufrir. ¿Eres tan cobarde?

AMA Y NO SUFRAS

La docilidad es la estrategia ideal para los que no quieren o no pueden independizarse.

AMAR O DEPENDER

No dejes que el miedo decida por ti. Juega con él, revierte el proceso. Siéntelo, deja que te atraviese con libertad.

PENSAR BIEN, SENTIRSE BIEN

Nos parecemos más en el dolor que en el placer. La mayoría de las personas soportarían más fácilmente la ausencia de placer que la presencia del dolor: lo primero deprime, lo segundo enloquece.

AMA Y NO SUFRAS

La moderación es un atributo admirado por casi todas las culturas y requisito fundamental para garantizar la convivencia y salvaguardar la integridad psicológica de la gente, pero si se hace de ella un supervalor, se comienza a transitar peligrosamente por los límites de la falsedad y el bloqueo emocional.

SABIDURÍA EMOCIONAL

Los sufrimientos que no nos permiten crecer son inútiles.

AMA Y NO SUFRAS

Mientras la enfermedad depresiva busca la autodestrucción, la tristeza cumple una función de reintegración y recuperación de los recursos adaptativos. Hay ocasiones en que Dios nos golpea amigablemente el hombro para llamarnos la atención y conversar un rato: "¿A dónde vas tan rápido? Desacelérate, dedícate a recuperar tu energía y a reevaluar qué estás haciendo".

SABIDURÍA EMOCIONAL

Si bien es cierto que el amor duele, renunciar a él para evitar la posibilidad de sufrimiento es negarse a uno mismo la posibilidad de vivir.

DESHOJANDO MARGARITAS

Tocar fondo a veces es útil para muchas personas, ya que el pensamiento que surge en tales condiciones es liberador: ¡Me cansé de sufrir, acepto lo peor!

PENSAR BIEN, SENTIRSE BIEN

En las malas épocas, las buenas relaciones se fortalecen y las disfuncionales se acaban. Un amor completo no se agota en el placer del sexo, ni en la alegría de que el otro exista, necesita estar listo para el sufrimiento compartido.

AMA Y NO SUFRAS

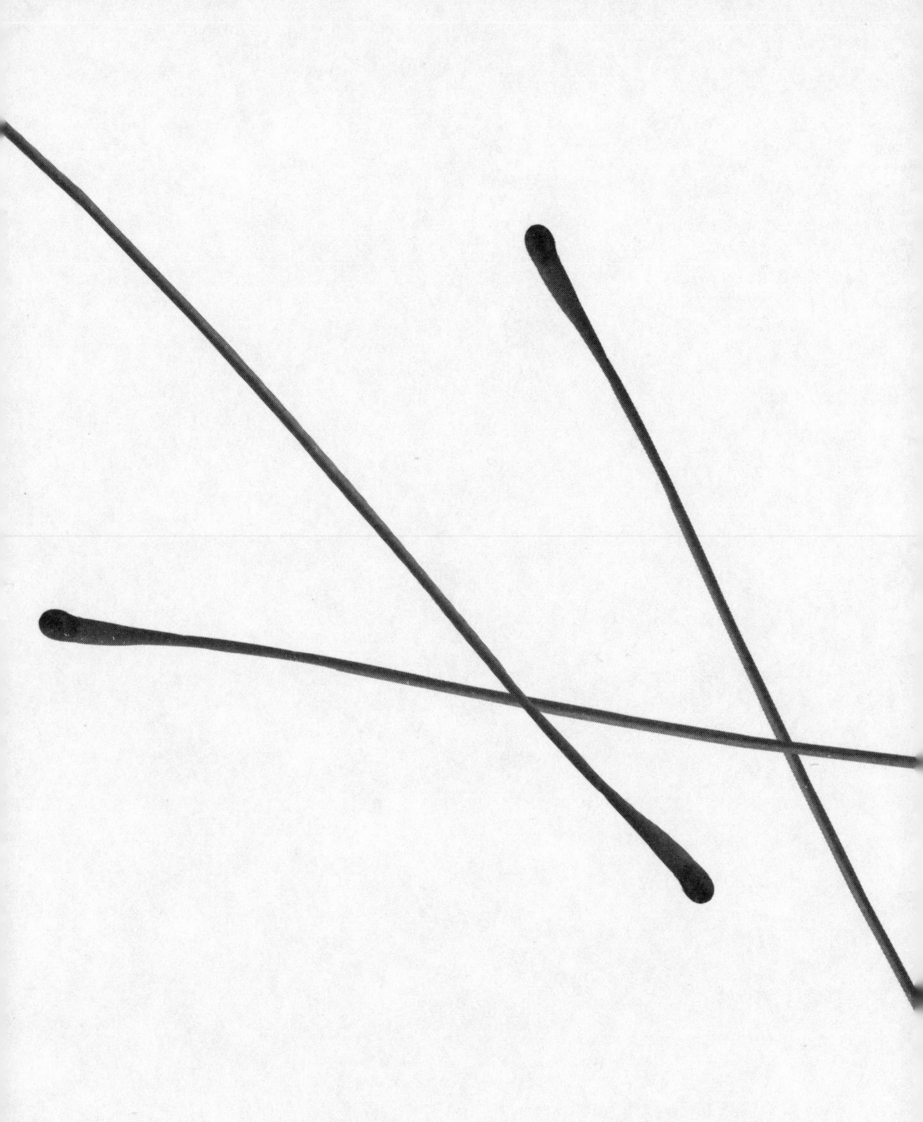

TRASCENDENCIA

Debemos recuperar la capacidad innata de leer en la naturaleza. Ella nos habla todo el tiempo, pero hemos perdido la vieja gramática de la intuición. Un retorno al lenguaje natural del amor nos acercaría a una experiencia afectiva menos contaminada, más honesta, respetuosa, digna y realista.

DESHOJANDO MARGARITAS

No estás solo. El aislamiento es una ilusión. Todo afecta a todo. Eso implica que lo que hagas con tu vida afectará a otros. Tú eres el mundo. Eres la conciencia de la humanidad, y si lo asumes así, entenderás que tu responsabilidad es tremenda y apasionante.

AMAR O DEPENDER

Rescatar el lenguaje natural del amor no es involucionar hacia lo salvaje, ni reducir el afecto a la expresión corporal, sino recuperar parte de aquellas raíces profundas para comunicarnos más allá de lo manifiesto.

DESHOJANDO MARGARITAS

La humanidad añora volver a lo primario, a la morada original donde comenzó el ascenso del hombre y a esa existencia plena, repleta de salud y bienestar. Podemos vivir mejor, aliviar el sufrimiento, mejorar nuestra calidad de vida, descontaminar la mente y crecer en sabiduría y amor. Creo que en algún rincón olvidado de nuestra estructura genética está la clave para retomar el sendero perdido. Es hora de deshacer los pasos y desenterrar los tesoros que alguna vez, equivocadamente enterramos.

SABIDURÍA EMOCIONAL

Todos los individuos de este planeta, queramos admitirlo o no, tenemos la tendencia a buscar más allá de lo evidente. Cuando hablamos de trascender estamos diciendo que te salgas de la inmediatez y vayas más allá de los límites de la apariencia.

AMAR O DEPENDER

La curiosidad es uno de los factores que ha permitido el desarrollo y mantenimiento de la vida en el planeta. Husmear, escudriñar y explorar llevan a una de las mayores satisfacciones: el descubrimiento y la sorpresa.

APRENDIENDO A QUERERSE A SÍ MISMO

Busca un lugar apartado, donde la naturaleza esté presente. Aléjate del bullicio artificial y busca el sonido natural. Esto no es sensiblería de segunda, sino ganas de vivir intensamente los sonidos del silencio.

AMAR O DEPENDER

A Dios no hay que buscarlo en los claustros, en los guías espirituales, en las comunidades y sectas, en la superstición de los horóscopos, en los supuestos poderes de las piedras mágicas, en la milenaria alquimia o en los grandes pensadores, sino en el contacto directo con la realidad. Despertar a lo verdadero es volver a esa ancestral, pero sana costumbre, de ser uno con las cosas.

DESHOJANDO MARGARITAS

Nos guste o no, en el ser humano existe una profunda exigencia de sentido, un anhelo por lo genuino y por lo no contaminado que nos permita ser verdaderamente libres. Es el requerimiento de la autorrealización. Ansiamos una transformación interna y radical, una forma de mutación que nos contacte con nuestra propia esencia.

PENSAR BIEN, SENTIRSE BIEN

Sentir que se está participando en un proyecto universal nos hace fuertes, nos aleja de lo mundano y cuestiona nuestra presencia en el planeta.

AMAR O DEPENDER

Es posible que el significado de la existencia humana no esté en las estrellas, sino en la tierra, y más específicamente en la información que reposa en cada uno de nosotros. Quizás no haya que ir tan lejos. Tal como enseña el adagio: "Cuando Dios quiere escondernos algo, lo pone bien cerca nuestro".

SABIDURÍA EMOCIONAL

La vida siempre te ofrece otra oportunidad; una manera de empezar de nuevo y limpiar el pasado. En lo más profundo de tu ser hay un fortín que no ha sido tocado, una reserva moral inexpugnable que te empuja a renacer y a empezar de nuevo.

AMAR O DEPENDER

Si quieres entender el cosmos, búscalo en tus sentimientos; ahí encontrarás lo que quieras saber.

SABIDURÍA EMOCIONAL

El pasado no te condena. De hecho, tu presente es el pasado de mañana. Si cambias en el aquí y el ahora, estarás contribuyendo de manera significativa a tu destino.

APRENDIENDO A QUERERSE A SÍ MISMO

Naciste para algo especial. Busca en tu interior y saca a relucir tu singularidad. Si no eres tú en persona, la verdadera, la única, la irreproducible, sólo serás una incipiente imitación.

AMAR O DEPENDER

Eres la humanidad... *Somos* el mundo... En ti se reproduce la historia de toda la humanidad. Sólo debes buscar adentro, sin evaluar, sin emitir juicios, sólo estar alerta y mirar las cosas como son. Ese ver *es* acción.

AMOR, DIVINA LOCURA

La idea rígida del cumplimiento y el deber para con los otros nos ha hecho olvidar el compromiso que hemos contraído con nosotros mismos al llegar a este mundo: crecer como personas.

APRENDIENDO A QUERERSE A SÍ MISMO

Busca el silencio. Contémplalo. Saboréalo. No hables con nadie. Aíslate. Practica la mudez.

AMAR O DEPENDER

Si el verdadero amor aparece, las alas del alma se reactivan porque ésta recuerda su procedencia original. Cuando miras el rostro de la persona amada, rememoras la belleza auténtica, y el ánima, embelesada y eufórica, despliega su fuerza y emprende el ascenso para recuperar su verdadera esencia.

AMOR, DIVINA LOCURA

Dios casi no habla, pero cuando lo hace, su lenguaje es inconfundible. Instala una línea directa con Dios para hablar con él cada vez que te plazca, y si está ocupado, insiste.

AMAR O DEPENDER

Cuando te auto-observas y te descubres, es el universo entero el que se observa a sí mismo. Eres un momento, un instante fugaz en la inmensidad del cosmos, pero formas parte de un proceso en expansión universal, infinitamente mayor, que te contiene. Todos estamos de paso y vamos de regreso a casa. Somos obreros del universo. En nosotros se reproduce la historia de toda la humanidad, y tú puedes tener acceso a ella.

AMAR O DEPENDER

Somos espectadores participantes de la existencia, pero el universo no necesita de nosotros para existir.

PENSAR BIEN, SENTIRSE BIEN

Trascender significa tomar consciencia de que soy, posiblemente, mucho más de lo que creo ser.

AMAR O DEPENDER

Es en el silencio cuando hacemos contacto con lo que verdaderamente somos.

AMAR O DEPENDER

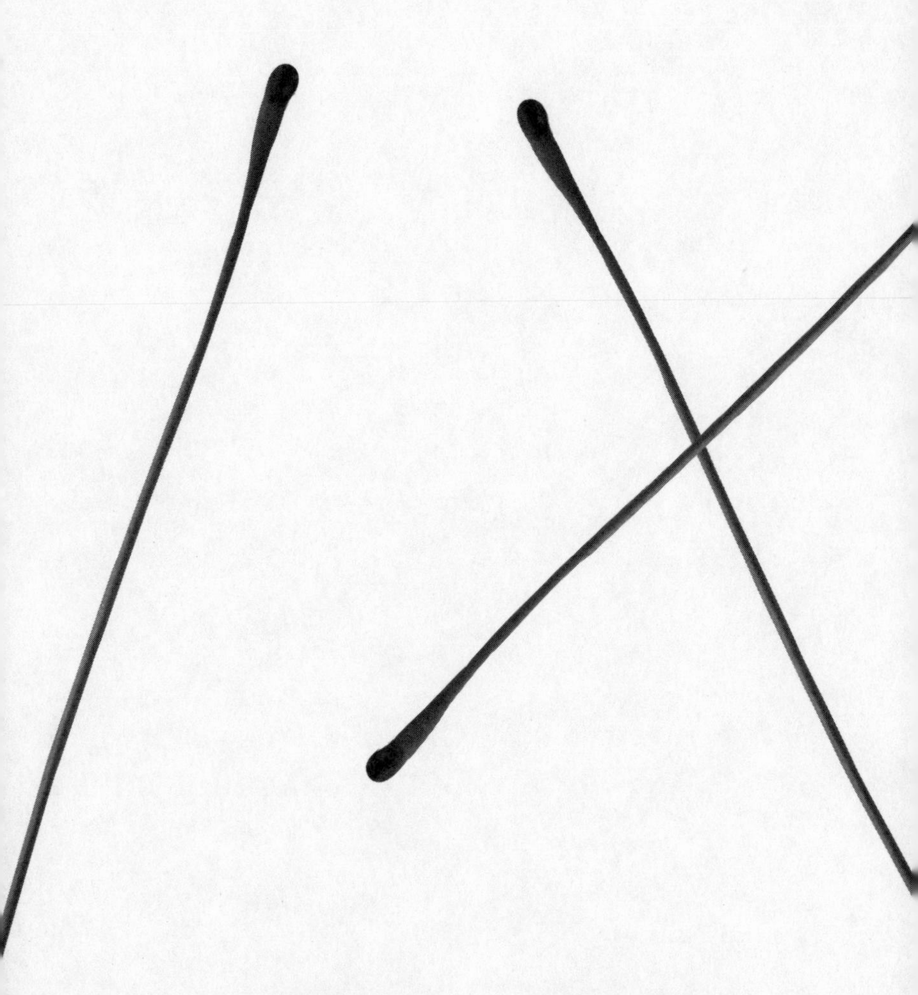

HEDONISMO
PLACER Y ALEGRÍA

La vida no se ha hecho sólo para trabajar. Se trabaja para vivir, no lo contrario. La búsqueda del placer es una condición del ser humano. Forma parte de ti como algo natural. No es algo malo y sucio, primitivo y sórdido. Ser hedonista no es promulgar la vagancia, la irresponsabilidad o los vicios que atenten contra tu salud. Es vivir intensamente y ejercer el derecho a sentirte bien. Sería inhumano contigo mismo negarte esta posibilidad.

APRENDIENDO A QUERERSE A SÍ MISMO

La famosa máxima socrática, dicha hasta el cansancio: "Sólo sé que nada sé", no es otra cosa que la toma de conciencia de que ningún conocimiento humano es capaz de producir certeza y garantizar la felicidad total.

PENSAR BIEN, SENTIRSE BIEN

La depresión es el luto del alma, el llanto de Dios, y la preocupación constante de un universo que no quiere involucionar, sino avanzar. El único antídoto para destruirla es alegría en grande y amor para convidar.

SABIDURÍA EMOCIONAL

Me deleito con tu placer, que es mío, que me pertenece. No se trata de amarte sino de ambicionarte, en el sentido de apetecerte, como un postre. Como único postre, si prefieres y puedo.

AMA Y NO SUFRAS

Si sabemos que es vital para nuestra salud mental, ¿por qué no somos hedonistas?, ¿Por qué nos resignamos a un estilo de vida rutinario y poco placentero?

APRENDIENDO A QUERERSE A SÍ MISMO

La posibilidad de alcanzar el nirvana emocional es una idea distorsionada que nos distrae de la vivencia natural de la alegría: la felicidad no es un estado, sino un proceso.

SABIDURÍA EMOCIONAL

Para los adictos al amor pasional lo importante no es el soporte emocional, el sosiego de tener un compañero, sino la sensación, el goce, la emoción. No es compañía o tranquilidad lo que busca el adicto a la pasión, sino exaltar sus sentidos.

AMA Y NO SUFRAS

El placer es uno de tus derechos fundamentales y no un exabrupto de mal gusto.

AMA Y NO SUFRAS

La alegría es la sanación natural que el universo ofrece a manos llenas.

SABIDURÍA EMOCIONAL

¿Habrá mayor placer, mejor sensación de bienestar que hacer lo que consideramos justo y adecuado? Lo que va con uno naturalmente, lo que no genera violencia interior.

PENSAR BIEN, SENTIRSE BIEN

La sexualidad es una de las fuentes de placer más poderosas, es el abismo que nos conecta a la esencia desconocida, a lo arquetípico, de donde vinimos y quizás hacia donde vamos.

AMA Y NO SUFRAS

La alegría saca a relucir lo mejor de nosotros. Es un destello espiritual, un señalamiento, y un delicioso jalón de orejas que el universo nos hace para que olvidemos quiénes somos: "Obsérvate. Ésta es tu verdadera humanidad. Esto es lo que eres. Tenlo presente".

SABIDURÍA EMOCIONAL

Algunas personas confunden el "no sentirse mal" con el "sentirse bien". Dejar de autocastigarse y de sufrir no es suficiente. Hay que dar un paso más; premiarse y tener una filosofía orientada al placer.

APRENDIENDO A QUERERSE A SÍ MISMO

Una idea más razonable y práctica de la felicidad supone ubicarla en el aquí y en el ahora y despojarla de esa falsa aureola sacrosanta. ¿Qué significa? Estar feliz mientras hago lo que quiero. Desear lo que tengo o lo que hago, mientras lo tengo y lo hago, disfrutar de lo que no me falta. Sin embargo, para mucha gente, vivir el presente es quitarle brillo a la vida.

PENSAR BIEN, SENTIRSE BIEN

La alegría y el amor van de la mano. La alegría es la risa de Dios.

SABIDURÍA EMOCIONAL

Desconecta la corteza cerebral de tus sentimientos placenteros de vez en cuando, déjate llevar por tus preferencias y preocúpate más por sentir que por comprender los eventos que te hacen feliz.

APRENDIENDO A QUERERSE A SÍ MISMO

El placer sin alegría es una forma de masturbación a cuatro manos.

AMA Y NO SUFRAS

Orientarse sanamente al disfrute y al placer es el terreno más fértil para que prospere la capacidad de quererse a uno mismo.

APRENDIENDO A QUERERSE A SÍ MISMO

Quizás la felicidad no esté en ser el mejor papá, la mejor mamá, o el mejor hijo, sino en intentarlo de manera honesta y tranquila, disfrutando mientras se transita hacia la meta.

APRENDIENDO A QUERERSE A SÍ MISMO

No esperes hasta las vacaciones para sacar tu piel a sentir.

PENSAR BIEN, SENTIRSE BIEN

Si lo que llega a tu vida es la depresión, ¡pelea! Busca ayuda, corre a golpear las puertas del amor, escarba en tu autoestima, rebélate a la muerte, llama a gritos la alegría, pero jamás te quedes quieto.

SABIDURÍA EMOCIONAL

La felicidad no llega a la puerta; hay que salir a buscarla y pelear por ella.

APRENDIENDO A QUERERSE A SÍ MISMO

La alegría es un regalo muy especial. Cuando estás alegre, tu energía está vibrando al ritmo de Dios.

SABIDURÍA EMOCIONAL

Si potencias tus experiencias placenteras, se abrirán nuevos horizontes y te harás inmune a la peor de las enfermedades: el aburrimiento.

APRENDIENDO A QUERERSE A SÍ MISMO

La capacidad de reír es una virtud y el mejor remedio para las enfermedades de la mente y el cuerpo.

DESHOJANDO MARGARITAS

Pese a los esfuerzos dogmáticos, restrictivos y fiscalizadores de los amigos de la seriedad y lo austero, el júbilo sigue irremediablemente haciéndonos cosquillas.

SABIDURÍA EMOCIONAL